D1086377

Conjugaison espagnole

Dans la même collection

ANGLAIS

- Conjugaison anglaise
- Grammaire anglaise
- Vocabulaire anglais

ESPAGNOL

- Grammaire espagnole
- Vocabulaire espagnol

FRANÇAIS

- Conjugaison française

Conjugaison espagnole

par

José Miguel Esteban

ISBN : 978-2-266-16851-9

SOMMAIRE

I. CARACTÉRISTIQUES GÉNÉRALES DE LA CONJUGAISON ESPAGNOLE

Tous les verbes en espagnol peuvent être classés dans 3 groupes, nommés « conjugaisons » et définis par la terminaison de l'infinitif :

1re conjugaison : terminaison en -AR. (AMAR)
2e conjugaison : terminaison en -ER. (COMER).
3e conjugaison : terminaison en -IR. (VIVIR)

Le radical du verbe peut être obtenu en enlevant les dites terminaisons. Les différentes formes verbales consisteront, comme en français, en l'ajout au radical des désinences qui correspondent à chaque temps.

Bien sûr, il y a plusieurs verbes irréguliers dont le radical se transforme à certains temps et auxquels on a consacré des sections spécifiques dans cet ouvrage.

Voici les pronoms personnels qui accompagnent chaque forme verbale :

	ESPAGNOL	FRANÇAIS
1re personne du singulier	Yo	Je
2e personne du singulier	Tú	Tu
3e personne du singulier	Él / Ella	Il / Elle
1re personne du pluriel	Nosotros	Nous
2e personne du pluriel	Vosotros	Vous
3e personne du pluriel	Ellos / Ellas	Ils / Elles

Il convient d'y ajouter les formes utilisées en cas de vouvoiement :

Usted : pour s'adresser à une seule personne.
Ustedes : pour s'adresser à plusieurs personnes.
À la différence du français, la forme verbale à utiliser avec « usted/ustedes » ne sera pas celle de la 2e personne du pluriel, mais de la 3e personne du singulier pour « usted » et de la 3e du pluriel pour « ustedes ».

Il est à noter qu'en espagnol la présence du pronom accompagnant la forme verbale **n'est pas du tout obligatoire**.

II. CONSTRUCTION DES TEMPS VERBAUX

1) FORMES SIMPLES DES VERBES RÉGULIERS

1.1. Presente de indicativo (Présent de l'indicatif)

a) Verbes de la première conjugaison (-AR)

<table>
<tr><td>Yo</td><td rowspan="6">+ Radical +</td><td>-o</td></tr>
<tr><td>Tú</td><td>-as</td></tr>
<tr><td>Él/Ella/Usted</td><td>-a</td></tr>
<tr><td>Nosotros</td><td>-amos</td></tr>
<tr><td>Vosotros</td><td>-áis</td></tr>
<tr><td>Ellos/Ellas/Ustedes</td><td>-an</td></tr>
</table>

Exemple : **AMAR** → Radical : **AM-**

<table>
<tr><td>Yo</td><td rowspan="6">+ AM- +</td><td>-o</td><td>yo amo</td></tr>
<tr><td>Tú</td><td>-as</td><td>tú amas</td></tr>
<tr><td>Él / Ella /Usted</td><td>-a</td><td>él / ella/ usted ama</td></tr>
<tr><td>Nosotros</td><td>-amos</td><td>nosotros amamos</td></tr>
<tr><td>Vosotros</td><td>-áis</td><td>vosotros amáis</td></tr>
<tr><td>Ellos/
Ellas/Ustedes</td><td>-an</td><td>ellos/ellas/ustedes aman</td></tr>
</table>

b) Verbes de la deuxième conjugaison (-ER)

Yo	+ Radical +	-o
Tú		-es
Él / Ella /Usted		-e
Nosotros		-emos
Vosotros		-éis
Ellos / Ellas / Ustedes		-en

Exemple : **COMER** → Radical : **COM-**

Yo	+ COM- +	-o	yo como
Tú		-es	tú comes
Él/Ella/Usted		-e	él/ella/usted come
Nosotros		-emos	nosotros comemos
Vosotros		-éis	vosotros coméis
Ellos/Ellas/ Ustedes		-en	ellos/ellas/ustedes comen

b) Verbes de la troisième conjugaison (-IR)

Yo	+ Radical +	-o
Tú		-es
Él / Ella /Usted		-e
Nosotros		-imos
Vosotros		-ís
Ellos / Ellas / Ustedes		-en

Exemple : **VIVIR** → Radical : **VIV-**

Yo	+ COM- +	-o	yo vivo
Tú		-es	tú vives
Él / Ella /Usted		-e	él / ella/ usted vive
Nosotros		-imos	nosotros vivimos
Vosotros		-ís	vosotros vivís
Ellos/Ellas/ Ustedes		-en	ellos/ellas/ustedes viven

1.2. Pretérito imperfecto de indicativo (Imparfait de l'indicatif)

a) Verbes de la première conjugaison (-AR)

Yo	+ Radical +	-aba
Tú		-abas
Él/Ella/Usted		-aba
Nosotros		-ábamos
Vosotros		-ábais
Ellos/Ellas/Ustedes		-aban

Exemple : **AMAR** → Radical : **AM-**

Yo	+ AM- +	-aba	yo amaba
Tú		-abas	tú amabas
Él / Ella /Usted		-aba	él / ella/ usted amaba
Nosotros		-ábamos	nosotros amábamos
Vosotros		-ábais	vosotros amábais
Ellos/Ellas/ Ustedes		-aban	ellos/ellas/ustedes amaban

b) Verbes de la deuxième et troisième conjugaison (-ER et -IR)

Yo	+ Radical +	-ía
Tú		-ías
Él / Ella /Usted		-ía
Nosotros		-íamos
Vosotros		-íais
Ellos/Ellas/Ustedes		-ían

Exemple 2e conjugaison : **COMER** → Radical : **COM-**

Yo	+ COM- +	-ía	yo comía
Tú		-ías	tú comías
Él/Ella/Usted		-ía	él / ella/ usted comía
Nosotros		-íamos	nosotros comíamos
Vosotros		-íais	vosotros comíais
Ellos/Ellas/ Ustedes		-ían	ellos/ellas/ustedes comían

Exemple 3e conjugaison **VIVIR** → Radical : **VIV-**

Yo	+ VIV- +	-ía	yo vivía
Tú		-ías	tú vivías
Él/Ella/Usted		-ía	él / ella/ usted vivía
Nosotros		-íamos	nosotros vivíamos
Vosotros		-íais	vosotros vivíais
Ellos/Ellas/ Ustedes		-ían	ellos/ellas/ustedes vivían

1.3. Pretérito perfecto simple (Passé simple)

a) Verbes de la 1re conjugaison (-AR)

Yo	+ Radical +	-é
Tú		-aste
Él/Ella/Usted		-ó
Nosotros		-amos
Vosotros		-ásteis
Ellos/Ellas/Ustedes		-aron

Exemple : **AMAR** → Radical : **AM-**

Yo	+ AM- +	-é	yo amé
Tú		-aste	tú amaste
Él/Ella/Usted		-ó	él/ella/usted amó
Nosotros		-amos	nosotros amamos
Vosotros		-ásteis	vosotros amásteis
Ellos/Ellas/ Ustedes		-aron	ellos/ellas/ustedes amaron

b) Verbes de la 2e et 3e conjugaison (-ER et -IR)

Yo	+ Radical +	-í
Tú		-iste
Él / Ella /Usted		-ó
Nosotros		-imos
Vosotros		-ísteis
Ellos/Ellas/Ustedes		-ieron

Exemple 2e conjugaison : **COMER** → Radical : **COM-**

Yo	+ COM- +	-í	yo comí
Tú		-iste	tú comiste
Él / Ella /Usted		-ó	él/ella/usted comió
Nosotros		-imos	nosotros comimos
Vosotros		-ísteis	vosotros comísteis
Ellos/Ellas/ Ustedes		-ieron	ellos/ellas/ustedes comieron

Exemple 3e conjugaison **VIVIR** → Radical : **VIV-**

Yo	+ VIV- +	-í	yo viví
Tú		-iste	tú viviste
Él/Ella/Usted		-ó	él / ella/ usted vivió
Nosotros		-imos	nosotros vivimos
Vosotros		-ísteis	vosotros vivísteis
Ellos/Ellas/ Ustedes		-ieron	ellos/ellas/ustedes vivieron

1.4. Futuro de indicativo (Futur de l'indicatif)

a) Construction pour les trois conjugaisons (-AR, -ER, -IR)

Yo	+ Infinitif +	-é
Tú		-ás
Él / Ella /Usted		-á
Nosotros		-emos
Vosotros		-éis
Ellos/Ellas/Ustedes		-án

Exemple : **AMAR**

Yo	AMAR-	-é	yo amaré
Tú		-ás	tú amarás
Él / Ella /Usted		-á	él / ella/ usted amará
Nosotros		-emos	nosotros amaremos
Vosotros		-éis	vosotros amaréis
Ellos/Ellas/ Ustedes		-án	ellos/ellas/ustedes amarán

Exemple : **COMER**

Yo	+ COMER- +	-é	yo comeré
Tú		-ás	tú comerás
Él / Ella /Usted		-á	él / ella/ usted comerá
Nosotros		-emos	nosotros comeremos
Vosotros		-éis	vosotros comeréis
Ellos/Ellas/ Ustedes		-án	ellos/ellas/ustedes comerán

Exemple : **VIVIR**

Yo	+ VIVIR- +	-é	yo viviré
Tú		-ás	tú vivirás
Él / Ella /Usted		-á	él / ella/ usted vivirá
Nosotros		-emos	nosotros viviremos
Vosotros		-éis	vosotros viviréis
Ellos/Ellas/ Ustedes		-án	ellos/ellas/ustedes vivirán

1.5. Condicional (Conditionnel présent)

a) Construction pour les trois conjugaisons (-AR, -ER, -IR)

Yo	+ Infinitif +	-ía
Tú		-ías
Él / Ella /Usted		-ía
Nosotros		-íamos
Vosotros		-íais
Ellos/Ellas/Ustedes		-ían

Exemple : **AMAR**

Yo		-ía	yo amaría
Tú		-ías	tú amarías
Él / Ella /Usted	+ AMAR- +	-ía	él / ella/ usted amaría
Nosotros		-íamos	nosotros amaríamos
Vosotros		-íais	vosotros amaríais
Ellos/Ellas/ Ustedes		-ían	ellos/ellas/ustedes amarían

Exemple : **COMER**

Yo		-ía	yo comería
Tú		-ías	tú comerías
Él / Ella /Usted	+ COMER- +	-ía	él / ella/ usted comería
Nosotros		-íamos	nosotros comeríamos
Vosotros		-íais	vosotros comeríais
Ellos/Ellas/ Ustedes		-ían	ellos/ellas/ustedes comerían

Exemple : **VIVIR**

Yo		-ía	yo viviría
Tú		-ías	tú vivirías
Él / Ella /Usted	+ VIVIR- +	-ía	él / ella/ usted viviría
Nosotros		-íamos	nosotros viviríamos
Vosotros		-íais	vosotros viviríais
Ellos/Ellas/ Ustedes		-ían	ellos/ellas/ustedes vivirían

1.6. Imperativo (Impératif)

Ces formes verbales s'accompagnent très rarement du pronom personnel sujet.

a) Verbes de la première conjugaison (-AR)

Tú	→ Radical +	-a
Usted		-e
Nosotros		-emos
Vosotros		-ad
Ustedes		-en

Exemple : **AMAR** → Radical : **AM-**

Tú	→ AM- +	-a	ama
Usted		-e	ame
Nosotros		-emos	amemos
Vosotros		-ad	amad
Ustedes		-en	amen

b) Verbes de la deuxième conjugaison (-ER)

Tú	→ Radical +	-e
Usted		-a
Nosotros		-amos
Vosotros		-ed
Ustedes		-an

Exemple : **COMER** → Radical : **COM-**

Tú	→ COM- +	-e	come
Usted		-a	coma
Nosotros		-amos	comamos
Vosotros		-ed	comed
Ustedes		-an	coman

b) Verbes de la troisième conjugaison (-IR)

Tú	→ Radical +	-e
Usted		-a
Nosotros		-amos
Vosotros		-id
Ustedes		-an

Exemple : **VIVIR** → Radical : **VIV-**

Tú	→ VIV- +	-e	vive
Usted		-a	viva
Nosotros		-amos	vivamos
Vosotros		-id	vivid
Ustedes		-an	vivan

1.7. Presente de subjuntivo (Présent du subjonctif)

Les terminaisons à ajouter au radical sont (sauf pour la première personne du singulier et la deuxième du pluriel) le résultat de, pour ainsi dire, la transposition des terminaisons du présent de l'indicatif : les verbes de la première conjugaison utilisent celles du présent de l'indicatif des verbes de la 2e et de la 3e, ceux-ci prenant les désinences du présent de l'indicatif des verbes de la 1re.

a) Verbes de la 1re conjugaison (-AR)

Yo	→ Radical +	-e
Tú		-es
Él / Ella /Usted		-e
Nosotros		-emos
Vosotros		-éis
Ellos/Ellas/Ustedes		-en

Exemple : **AMAR** → Radical : **AM-**

Yo	+ AM- +	-e	yo ame
Tú		-es	tú ames
Él/Ella /Usted		-e	él / ella/ usted ame
Nosotros		-emos	nosotros amemos
Vosotros		-éis	vosotros améis
Ellos/Ellas/Ustedes		-en	ellos/ellas/ustedes amen

b) Verbes de la 2ᵉ et 3ᵉ conjugaison (-ER et -IR)

Yo	→ Radical +	-a
Tú		-as
Él/Ella/Usted		-a
Nosotros		-amos
Vosotros		-áis
Ellos/Ellas/Ustedes		-an

Exemple 2ᵉ conjugaison : **COMER** → Radical : **COM-**

Yo	+ COM- +	-a	yo coma
Tú		-as	tú comas
Él/Ella/Usted		-a	él/ella/usted coma
Nosotros		-amos	nosotros comamos
Vosotros		-áis	vosotros comáis
Ellos/Ellas/Ustedes		-an	ellos/ellas/ustedes coman

Exemple 3ᵉ conjugaison **VIVIR** → Radical : **VIV-**

Yo	+ VIV- +	-a	yo viva
Tú		-as	tú vivas
Él / Ella /Usted		-a	él / ella/ usted viva
Nosotros		-amos	nosotros vivamos
Vosotros		-áis	vosotros viváis
Ellos/Ellas/Ustedes		-an	ellos/ellas/ustedes vivan

1.7. Pretérito imperfecto de subjuntivo (Imparfait du subjonctif)

Il y en a deux en espagnol, qui se construisent, *pour les trois conjugaisons*, à partir de la 3e personne du pluriel du passé simple à laquelle on enlève la terminaison **-ron**, en y ajoutant les désinences indiquées dans le tableau suivant (il y aura toujours deux options possibles).

<table>
<tr><td>Yo</td><td rowspan="6">+ 3e personne du pluriel du passé simple sans la terminaison -ron +</td><td>-ra / -se</td></tr>
<tr><td>Tú</td><td>-ras / -ses</td></tr>
<tr><td>Él / Ella /Usted</td><td>-ra / -se</td></tr>
<tr><td>Nosotros</td><td>-ramos / -semos</td></tr>
<tr><td>Vosotros</td><td>-rais / -seis</td></tr>
<tr><td>Ellos/Ellas/Ustedes</td><td>-ran / -sen</td></tr>
</table>

Exemples :

AMAR → 3e personne du pluriel du passé simple : AMARON → Radical : **AMA-**

<table>
<tr><td>Yo</td><td rowspan="6">+ AMA- +</td><td>-ra / -se</td><td>yo amara / amase</td></tr>
<tr><td>Tú</td><td>-ras / -ses</td><td>tú amaras / amases</td></tr>
<tr><td>Él / Ella /Usted</td><td>-ra / -se</td><td>él/ella/usted amara/amase</td></tr>
<tr><td>Nosotros</td><td>-ramos / -semos</td><td>nosotros amáramos/amásemos</td></tr>
<tr><td>Vosotros</td><td>-rais / -seis</td><td>vosotros amárais/amáseis</td></tr>
<tr><td>Ellos/Ellas/ Ustedes</td><td>-ran / -sen</td><td>ellos/ ellas/ustedes amaran/amasen</td></tr>
</table>

COMER → 3e personne du pluriel du passé simple : COMIERON → Radical : **COMIE-**

Yo	+ COMIE- +	-ra/-se	yo comiera / comiese
Tú		-ras/-ses	tú comieras / comieses
Él / Ella /Usted		-ra/-se	él / ella/ usted comiera / comiese
Nosotros		-ramos/ -semos	nosotros comiéramos / comiésemos
Vosotros		-rais/-seis	vosotros comiérais / comiéseis
Ellos/Ellas/ Ustedes		-ran/-sen	ellos/ellas/ustedes comieran/comiesen

VIVIR → 3e personne du pluriel du passé simple : VIVIERON → Radical : **VIVIE-**

Yo	+ VIVIE- +	-ra/-se	yo viviera / viviese
Tú		-ras/-ses	tú vivieras / vivieses
Él / Ella /Usted		-ra/-se	él / ella/ usted viviera / viviese
Nosotros		-ramos/ -semos	nosotros viviéramos / viviésemos
Vosotros		-rais/-seis	vosotros viviérais / viviéseis
Ellos/Ellas/ Ustedes		-ran/-sen	ellos/ellas/ustedes vivieran/viviesen

1.9. Futuro de subjuntivo (Futur du subjonctif)

Il s'agit d'un temps jamais utilisé à l'oral, mais que l'on peut trouver parfois dans la langue écrite (notamment dans les textes juridiques et la littérature classique). Il se forme à partir du premier des deux imparfaits du subjonctif (celui en -ra), en y remplaçant le « a » de la terminaison par « e ».

Yo		-re
Tú		-res
Él / Ella /Usted	+ 3e personne du pluriel du passé simple sans la terminaison -ron +	-re
Nosotros		-remos
Vosotros		-reis
Ellos/Ellas/Ustedes		-ren

AMAR → 3e personne du pluriel du passé simple : AMA-RON → Radical : **AMA-**

Yo		-re	yo amare
Tú		-res	tú amares
Él / Ella /Usted		-re	él / ella/ usted amare
Nosotros	+ AMA- +	-remos	nosotros amáremos
Vosotros		-reis	vosotros amáreis
Ellos/Ellas/ Ustedes		-ren	ellos/ellas/ustedes amaren

COMER → 3e personne du pluriel du passé simple : COMIERON → Radical : **COMIE-**

Yo		-re	yo comiere
Tú		-res	tú comieres
Él / Ella /Usted		-re	él / ella/ usted comiere
Nosotros	+ COMIE- +	-remos	nosotros comiéremos
Vosotros		-reis	vosotros comiéreis
Ellos/Ellas/ Ustedes		-ren	ellos/ellas/ustedes comieren

VIVIR → 3e personne du pluriel du passé simple : VIVIERON → Radical : **VIVIE-**

Yo		-re	yo viviere
Tú		-res	tú vivieres
Él / Ella /Usted		-re	él / ella/ usted viviere
Nosotros	+ VIVIE- +	-remos	nosotros viviéremos
Vosotros		-reis	vosotros viviéreis
Ellos/Ellas/ Ustedes		-ren	ellos/ellas/ustedes vivieren

1.10. Les verbes pronominaux

Ils sont conjugués comme le reste des verbes mais avec la même particularité que l'on trouve dans la conjugaison française : il faut mettre le pronom personnel réfléchi correspondant à chaque pronom sujet juste devant la forme verbale (*voir section III, tableau 4*).

2) LES VERBES IRRÉGULIERS

En espagnol, on peut trouver trois groupes de verbes irréguliers : les verbes à irrégularités récurrentes, les faux verbes irréguliers (ou apparemment irréguliers) et les verbes à irrégularités non récurrentes. Dans cette section, on abordera les deux premiers groupes. Le troisième figure dans les tableaux de conjugaison de la section III de cet ouvrage.

Les numéros entre parenthèses en italique, que le lecteur trouvera tout au long de cet ouvrage, renvoient toujours à cette même section.

2.1. Verbes à irrégularités récurrentes

a) Verbes à diphtongue

La dernière voyelle du radical (normalement « o » ou « e ») se transforme en diphtongue lorsqu'elle est sous l'accent tonique. Le « o » devient « ue » et le « e » devient « ie ». Cette irrégularité ne se manifeste qu'au présent de l'indicatif, au présent du subjonctif et à l'impératif (*6-9*).

Si, dans un verbe à diphtongue, la dernière voyelle du radical est un « o » précédé d'un « g », la diphtongue aura la forme « üe » (exemple : AVERGONZAR, *26*).

b) Verbes à fermeture de voyelle

Le dernier « e » du radical se transforme en « i » lorsque la terminaison ne contient pas un « i » accentué (*10*).

c) Verbes combinés

Leur construction présente une combinaison des deux types précédents. Le dernier « e » ou « o » du radical diphtongue (« ie » et « ue » respectivement) quand il est sous l'accent tonique à tous les temps verbaux où cette circonstance se produit (pas seulement aux temps du présent comme c'était le cas des verbes à diphtongue). La fermeture de voyelle (« o » vers « u » et « e » vers « i ») apparaît lorsque l'accent tonique tombe sur une voyelle de la désinence verbale autre qu'un « i » (*11 et 12*).

d) Verbes dont l'infinitif se termine par -CER et -UCIR

Quand la désinence à ajouter au radical commence par « a » ou bien « o », on introduit un « z » devant le « c » du radical (*13 et 14*).

Parmi ce type de verbes, ceux dont l'infinitif se termine par -DUCIR constituent une exception, puisqu'ils présentent en outre une deuxième particularité : le « c » du radical se transforme en « j » au « pretérito perfecto simple » de l'indicatif et, dans le cas du subjonctif, aux imparfaits et au futur (*15*).

Il existe d'autres exceptions, en l'occurrence des verbes ayant cette terminaison à l'infinitif, mais qui combinent plusieurs types d'irrégularités différentes en même temps. C'est le cas pour HACER, YACER, COCER, TORCER, ainsi que leurs composés (*34, 47 et 52*).

e) Verbes dont l'infinitif se termine par -UIR

Ce type de verbes intercale un « y » entre le radical et la désinence verbale lorsque celle-ci commence par une voyelle différente de « i » (*16*).

2.2. Fausses irrégularités

Les verbes réguliers dont le dernier son du radical est [k], [g], [θ] ou [x] présentent des variations orthographiques résultants de l'application des règles générales de l'orthographe espagnole, qui ne devraient pas être considérées comme de vraies irrégularités :

– [k] : lorsqu'un « c » se trouve placé devant une désinence commençant par « a » ou « o », il se transforme en « qu » devant une terminaison commençant par « e » ou « i » (*17*).

– [g] : on écrit « g » devant les désinences commençant par « a » ou « o », mais « gu » devant celles commençant par « e » ou « i » (*18*).

– [θ] : on écrit « z » devant les désinences commençant par « a » ou « o », mais « c » devant celles commençant par « e » ou « i » (*19 et 20*).

– [x] : il devient « j » devant les désinences commençant par « a » ou « o », mais « g » devant celles commençant par « e » ou « i » (*21*).

Les verbes dont l'infinitif est en -IAR ou -UAR présentent une conjugaison similaire à celle des verbes réguliers de la 1re conjugaison, exception faite de l'apparition d'un accent orthographique sur la dernière voyelle du radical des formes du présent de l'indicatif, du présent du subjonctif et de l'impératif. Pour ce dernier, la variation se produit seulement aux trois personnes du singulier et à la troisième du pluriel.

Les verbes en -GUAR comportent un tréma sur le « u » du radical lorsque la désinence commence par « e » (*20-22*).

3) GERUNDIO Y PARTICIPIO (GÉRONDIF ET PARTICIPE PASSÉ)

3.1. Gerundio (Gérondif)

Il se forme en ajoutant au radical du verbe la terminaison **-ando** pour les verbes de la 1re conjugaison et **-iendo** pour ceux de la 2e et 3e.

Exemples :

AMAR → Radical : **AM-** → Gérondif : **AMANDO**

COMER → Radical : **COM-** → Gérondif : **COMIENDO**

VIVIR → Radical : **VIV-** → Gérondif : **VIVIENDO**

3.2. Participio (Participe passé)

On l'obtient en ajoutant au radical du verbe la terminaison **-ado**, dans le cas des verbes de la 1re conjugaison, et **-ido** pour ceux de la 2e et de la 3e.

Exemples :

AMAR → Radical : **AM-** → Gérondif : **AMADO**

COMER → Radical : **COM-** → Gérondif : **COMIDO**

VIVIR → Radical : **VIV-** → Gérondif : **VIVIDO**

4) LES TEMPS COMPOSÉS

En espagnol, à la différence du français, on ne trouve qu'un seul verbe auxiliaire (HABER, tableau *5*). Les temps composés se construisent, donc à partir des différentes formes simples du verbe HABER pour chaque temps, suivies du participe passé du verbe conjugué. (*Voir tableaux de conjugaison, section III.*)

Voici les temps composés correspondant à chaque temps simple :

TEMPS SIMPLES	TEMPS COMPOSÉS
Presente de indicativo	Pretérito perfecto compuesto (Passé composé)
Pretérito imperfecto de indicativo	Pretérito pluscuamperfecto de indicativo (Plus-que-parfait)
Pretérito perfecto simple	Pretérito anterior (Passé antérieur)
Futuro de indicativo	Futuro perfecto de indicativo (Futur antérieur)
Condicional	Condicional perfecto (Conditionnel passé)
Presente de subjuntivo	Pretérito perfecto de subjuntivo (Présent du subjonctif)
Pretérito imperfecto de subuntivo	Pretérito pluscuamperfecto de subjuntivo (Plus-que-parfait du subjonctif)
Futuro de subjuntivo	Futuro perfecto de subjuntivo (n'existe pas en français)

III. TABLEAUX DE CONJUGAISON

– TABLEAU 1 –
EXEMPLE DE VERBE RÉGULIER (1re CONJUGAISON) : *AMAR* (AIMER)

– **Infinitivo :** amar
– **Participio :** amado
– **Gerundio :** amando

INDICATIVO		SUBJUNTIVO	
Presente	**Pretérito perfecto compuesto**	**Presente**	**Pretérito perfecto**
amo amas ama amamos amáis aman	he amado has amado ha amado hemos amado habéis amado han amado	ame ames ame amemos améis amen	haya amado hayas amado haya amado hayamos amado hayáis amado hayan amado
Pretérito imperfecto	**Pretérito pluscuamperfecto**	**Pretérito imperfecto**	**Pretérito pluscuamperfecto**
amaba amabas amaba amábamos amabais amaban	había amado habías amado había amado habíamos amado habíais amado habían amado	amara amaras amara amáramos amarais amaran	hubiera amado hubieras amado hubiera amado hubiéramos amado hubierais amado hubieran amado
Pretérito perfecto simple	**Pretérito anterior**		
amé amaste amó amamos amasteis amaron	hube amado hubiste amado hubo amado hubimos amado hubisteis amado hubieron amado	amase amases amase amásemos amaseis amasen	hubiese amado hubieses amado hubiese amado hubiésemos amado hubieseis amado hubiesen amado
Futuro	**Futuro perfecto**	**Futuro**	**Futuro perfecto**
amaré amarás amará amaremos amaréis amarán	habré amado habrás amado habrá amado habremos amado habréis amado habrán amado	amare amares amare amáremos amareis amaren	hubiere amado hubieres amado hubiere amado hubiéremos amado hubiereis amado hubieren amado

<table>
<tr><th colspan="2">Condicional</th><th>Imperativo</th></tr>
<tr><td>Condicional</td><td>Condicional perfecto</td><td rowspan="2">ama
ame
amemos
amad
amen</td></tr>
<tr><td>amaría
amarías
amaría
amaríamos
amaríais
amarían</td><td>habría amado
habrías amado
habría amado
habríamos amado
habríais amado
habrían amado</td></tr>
</table>

– TABLEAU 2 –
EXEMPLE DE VERBE RÉGULIER (2e CONJUGAISON) : *COMER* (MANGER)

– **Infinitivo :** comer
– **Participio :** comido
– **Gerundio :** comiendo

Indicativo		Subjuntivo	
Presente	**Pretérito perfecto compuesto**	**Presente**	**Pretérito perfecto**
como comes come comemos coméis comen	he comido has comido ha comido hemos comido habéis comido han comido	coma comas coma comamos comáis coman	haya comido hayas comido haya comido hayamos comido hayáis comido hayan comido
Pretérito imperfecto	**Pretérito pluscuamperfecto**	**Pretérito imperfecto**	**Pretérito pluscuamperfecto**
comía comías comía comíamos comíais comían	había comido habías comido había comido habíamos comido habíais comido habían comido	comiera comieras comiera comiéramos comierais comieran comiese comieses comiese comiésemos comieseis comiesen	hubiera comido hubieras comido hubiera comido hubiéramos comido hubierais comido hubieran comido hubiese comido hubieses comido hubiese comido hubiésemos comido hubieseis comido hubiesen comido
Pretérito perfecto simple	**Pretérito anterior**		
comí comiste comió comimos comisteis comieron	hube comido hubiste comido hubo comido hubimos comido hubisteis comido hubieron comido		
Futuro	**Futuro perfecto**	**Futuro**	**Futuro perfecto**
comeré comerás comerá comeremos comeréis comerán	habré comido habrás comido habrá comido habremos comido habréis comido habrán comido	comiere comieres comiere comiéremos comiereis comieren	hubiere comido hubieres comido hubiere comido hubiéremos comido hubiereis comido hubieren comido

Condicional		Imperativo
Condicional	**Condicional perfecto**	
comería comerías comería comeríamos comeríais comerían	habría comido habrías comido habría comido habríamos comido habríais comido habrían comido	come coma comamos comed coman

– TABLEAU 3 –
EXEMPLE DE VERBE RÉGULIER (3e CONJUGAISON) : *VIVIR* (VIVRE)

– **Infinitivo :** vivir
– **Participio :** vivido
– **Gerundio :** viviendo

INDICATIVO		SUBJUNTIVO	
Presente	**Pretérito perfecto compuesto**	**Presente**	**Pretérito perfecto**
vivo vives vive vivimos vivís viven	he vivido has vivido ha vivido hemos vivido habéis vivido han vivido	viva vivas viva vivamos viváis vivan	haya vivido hayas vivido haya vivido hayamos vivido hayáis vivido hayan vivido
Pretérito imperfecto	**Pretérito pluscuamperfecto**	**Pretérito imperfecto**	**Pretérito pluscuamperfecto**
vivía vivías vivía vivíamos vivíais vivían	había vivido habías vivido había vivido habíamos vivido habíais vivido habían vivido	viviera vivieras viviera viviéramos vivierais vivieran viviese vivieses viviese viviésemos vivieseis viviesen	hubiera vivido hubieras vivido hubiera vivido hubiéramos vivido hubierais vivido hubieran vivido hubiese vivido hubieses vivido hubiese vivido hubiésemos vivido hubieseis vivido hubiesen vivido
Pretérito perfecto simple	**Pretérito anterior**		
viví viviste vivió vivimos vivisteis vivieron	hube vivido hubiste vivido hubo vivido hubimos vivido hubisteis vivido hubieron vivido		
Futuro	**Futuro perfecto**	**Futuro**	**Futuro perfecto**
viviré vivirás vivirá viviremos viviréis vivirán	habré vivido habrás vivido habrá vivido habremos vivido habréis vivido habrán vivido	viviere vivieres viviere viviéremos viviereis vivieren	hubiere vivido hubieres vivido hubiere vivido hubiéremos vivido hubiereis vivido hubieren vivido

Condicional		Imperativo
Condicional	**Condicional perfecto**	
viviría vivirías viviría viviríamos viviríais vivirían	habría vivido habrías vivido habría vivido habríamos vivido habríais vivido habrían vivido	vive viva vivamos vivid vivan

– TABLEAU 4 –
VERBE PRONOMINAL : *LLAMARSE* (S'APPELER)

– **Infinitivo :** llamarse
– **Participio :** llamado
– **Gerundio :** llamándose

INDICATIVO		SUBJUNTIVO	
Presente	**Pretérito perfecto compuesto**	**Presente**	**Pretérito perfecto**
me llamo te llamas se llama nos llamamos os llamáis se llaman	me he llamado te has llamado se ha llamado nos hemos llamado os habéis llamado se han llamado	me llame te llames se llame nos llamemos os llaméis se llamen	me haya llamado te hayas llamado se haya llamado nos hayamos llamado os hayáis llamado se hayan llamado
Pretérito imperfecto	**Pretérito pluscuamperfecto**	**Pretérito imperfecto**	**Pretérito pluscuamperfecto**
me llamaba te llamabas se llamaba nos llamábamos os llamabais se llamaban	me había llamado te habías llamado se había llamado nos habíamos llamado os habíais llamado se habían llamado	me llamara te llamaras se llamara nos llamáramos os llamarais se llamaran	me hubiera llamado te hubieras llamado se hubiera llamado nos hubiéramos llamado os hubierais llamado se hubieran llamado
Pretérito perfecto simple	**Pretérito anterior**	me llamase te llamases se llamase nos llamásemos os llamaseis se llamasen	me hubiese llamado te hubieses llamado se hubiese llamado nos hubiésemos llamado os hubieseis llamado se hubiesen llamado
me llamé te llamaste se llamó nos llamamos os llamasteis se llamaron	me hube llamado te hubiste llamado se hubo llamado nos hubimos llamado os hubisteis llamado se hubieron llamado		

Futuro	Futuro perfecto	Futuro	Futuro perfecto
me llamaré te llamarás se llamará nos llamaremos os llamaréis se llamarán	me habré llamado te habrás llamado se habrá llamado nos habremos llamado os habréis llamado se habrán llamado	me llamare te llamares se llamare nos llamáremos os llamareis se llamaren	me hubiere llamado te hubieres llamado se hubiere llamado nos hubiéremos llamado os hubiereis llamado se hubieren llamado
CONDICIONAL		**IMPERATIVO**	
Condicional	**Condicional perfecto**		
me llamaría te llamarías se llamaría nos llamaríamos os llamaríais se llamarían	me habría llamado te habrías llamado se habría llamado nos habríamos llamado os habríais llamado se habrían llamado	llámate llámese llamémonos llamáos llámense	

– TABLEAU 5 –
LE VERBE AUXILIAIRE *HABER* (AVOIR)

– **Infinitivo :** haber
– **Participio :** habido
– **Gerundio :** habiendo

INDICATIVO		SUBJUNTIVO	
Presente	**Pretérito perfecto compuesto**	**Presente**	**Pretérito perfecto**
he has ha hemos habéis han	he habido has habido ha habido hemos habido habéis habido han habido	haya hayas haya hayamos hayáis hayan	haya habido hayas habido haya habido hayamos habido hayáis habido hayan habido
Pretérito imperfecto	**Pretérito pluscuamperfecto**	**Pretérito imperfecto**	**Pretérito pluscuamperfecto**
había habías había habíamos habíais habían	había habido habías habido había habido habíamos habido habíais habido habían habido	hubiera hubieras hubiera hubiéramos hubierais hubieran	hubiera habido hubieras habido hubiera habido hubiéramos habido hubierais habido hubieran habido
Pretérito perfecto simple	**Pretérito anterior**	hubiese hubieses hubiese hubiésemos hubieseis hubiesen	hubiese habido hubieses habido hubiese habido hubiésemos habido hubieseis habido hubiesen habido
hube hubiste hubo hubimos hubisteis hubieron	hube habido hubiste habido hubo habido hubimos habido hubisteis habido hubieron habido		
Futuro	**Futuro perfecto**	**Futuro**	**Futuro perfecto**
habré habrás habrá habremos habréis habrán	habré habido habrás habido habrá habido habremos habido habréis habido habrán habido	hubiere hubieres hubiere hubiéremos hubiereis hubieren	hubiere habido hubieres habido hubiere habido hubiéremos habido hubiereis habido hubieren habido

CONDICIONAL		IMPERATIVO
Condicional	Condicional perfecto	
habría habrías habría habríamos habríais habrían	habría habido habrías habido habría habido habríamos habido habríais habido habrían habido	———

– TABLEAU 6 –
VERBE IRRÉGULIER À DIPHTONGUE : *ACERTAR* (DEVINER)

- **Infinitivo :** acertar
- **Participio :** acertado
- **Gerundio :** acertando

INDICATIVO		SUBJUNTIVO	
Presente	**Pretérito perfecto compuesto**	**Presente**	**Pretérito perfecto**
acierto aciertas acierta acertamos acertáis aciertan	he acertado has acertado ha acertado hemos acertado habéis acertado han acertado	acierte aciertes acierte acertemos acertéis acierten	haya acertado hayas acertado haya acertado hayamos acertado hayáis acertado hayan acertado
Pretérito imperfecto	**Pretérito pluscuamperfecto**	**Pretérito imperfecto**	**Pretérito pluscuamperfecto**
acertaba acertabas acertaba acertábamos acertabais acertaban	había acertado habías acertado había acertado habíamos acertado habíais acertado habían acertado	acertara acertaras acertara acertáramos acertarais acertaran	hubiera acertado hubieras acertado hubiera acertado hubiéramos acertado hubierais acertado hubieran acertado
Pretérito perfecto simple	**Pretérito anterior**	acertase acertases acertase acertásemos acertaseis acertasen	hubiese acertado hubieses acertado hubiese acertado hubiésemos acertado hubieseis acertado hubiesen acertado
acerté acertaste acertó acertamos acertasteis acertaron	hube acertado hubiste acertado hubo acertado hubimos acertado hubisteis acertado hubieron acertado		
Futuro	**Futuro perfecto**	**Futuro**	**Futuro perfecto**
acertaré acertarás acertará acertaremos acertaréis acertarán	habré acertado habrás acertado habrá acertado habremos acertado habréis acertado habrán acertado	acertare acertares acertare acertáremos acertareis acertaren	hubiere acertado hubieres acertado hubiere acertado hubiéremos acertado hubiereis acertado hubieren acertado

CONDICIONAL		IMPERATIVO
Condicional	Condicional perfecto	
acertaría acertarías acertaría acertaríamos acertaríais acertarían	habría acertado habrías acertado habría acertado habríamos acertado habríais acertado habrían acertado	acierta acierte acertemos acertad acierten

– TABLEAU 7 –
VERBE IRRÉGULIER À DIPHTONGUE :
VOLAR (VOLER, S'ENVOLER)

- **Infinitivo :** volar
- **Participio :** volado
- **Gerundio :** volando

INDICATIVO		SUBJUNTIVO	
Presente	**Pretérito perfecto compuesto**	**Presente**	**Pretérito perfecto**
vuelo vuelas vuela volamos voláis vuelan	he volado has volado ha volado hemos volado habéis volado han volado	vuele vueles vuele volemos voléis vuelen	haya volado hayas volado haya volado hayamos volado hayáis volado hayan volado
Pretérito imperfecto	**Pretérito pluscuamperfecto**	**Pretérito imperfecto**	**Pretérito pluscuamperfecto**
volaba volabas volaba volábamos volábais volaban	había volado habías volado había volado habíamos volado habíais volado habían volado	volara volaras volara voláramos volarais volaran	hubiera volado hubieras volado hubiera volado hubiéramos volado hubierais volado hubieran volado
Pretérito perfecto simple	**Pretérito anterior**	volase volases volase volásemos volaseis volasen	hubiese volado hubieses volado hubiese volado hubiésemos volado hubieseis volado hubiesen volado
volé volaste voló volamos volasteis volaron	hube volado hubiste volado hubo volado hubimos volado hubisteis volado hubieron volado		
Futuro	**Futuro perfecto**	**Futuro**	**Futuro perfecto**
volaré volarás volará volaremos volaréis volarán	habré volado habrás volado habrá volado habremos volado habréis volado habrán volado	volare volares volare voláremos volareis volaren	hubiere volado hubieres volado hubiere volado hubiéremos volado hubiereis volado hubieren volado

Condicional		Imperativo
Condicional	**Condicional perfecto**	
volaría	habría volado	vuela
volarías	habrías volado	vuele
volaría	habría volado	volemos
volaríamos	habríamos volado	volad
volaríais	habríais volado	vuelen
volarían	habrían volado	

– TABLEAU 8 –
VERBE IRRÉGULIER À DIPHTONGUE : *ENTENDER* (COMPRENDRE)

– **Infinitivo :** entender
– **Participio :** entendido
– **Gerundio :** entendiendo

Indicativo		Subjuntivo	
Presente	**Pretérito perfecto compuesto**	**Presente**	**Pretérito perfecto**
entiendo entiendes entiende entendemos entendéis entienden	he entendido has entendido ha entendido hemos entendido habéis entendido han entendido	entienda entiendas entienda entendamos entendáis entiendan	haya entendido hayas entendido haya entendido hayamos entendido hayáis entendido hayan entendido
Pretérito imperfecto	**Pretérito pluscuamperfecto**	**Pretérito imperfecto**	**Pretérito pluscuamperfecto**
entendía entendías entendía entendíamos entendíais entendían	había entendido habías entendido había entendido habíamos entendido habíais entendido habían entendido	entendiera entendieras entendiera entendiéramos entendierais entendieran entendiese entendieses entendiese entendiésemos entendieseis entendiesen	hubiera entendido hubieras entendido hubiera entendido hubiéramos entendido hubierais entendido hubieran entendido hubiese entendido hubieses entendido hubiese entendido hubiésemos entendido hubieseis entendido hubiesen entendido
Pretérito perfecto simple	**Pretérito anterior**		
entendí entendiste entendió entendimos entendisteis entendieron	hube entendido hubiste entendido hubo entendido hubimos entendido hubisteis entendido hubieron entendido		
Futuro	**Futuro perfecto**	**Futuro**	**Futuro perfecto**
entenderé entenderás entenderá entenderemos entenderéis entenderán	habré entendido habrás entendido habrá entendido habremos entendido habréis entendido habrán entendido	entendiere entendieres entendiere entendiéremos entendiereis entendieren	hubiere entendido hubieres entendido hubiere entendido hubiéremos entendido hubiereis entendido hubieren entendido

Condicional		Imperativo
Condicional	**Condicional perfecto**	
entendería entenderías entendería entenderíamos entenderíais entenderían	habría entendido habrías entendido habría entendido habríamos entendido habríais entendido habrían entendido	entiende entienda entendamos entended entiendan

– TABLEAU 9 –
VERBE IRRÉGULIER À DIPHTONGUE : *MORDER* (MORDRE)

- **Infinitivo :** morder
- **Participio :** mordido
- **Gerundio :** mordiendo

INDICATIVO		SUBJUNTIVO	
Presente	**Pretérito perfecto compuesto**	**Presente**	**Pretérito perfecto**
muerdo muerdes muerde mordemos mordéis muerden	he mordido has mordido ha mordido hemos mordido habéis mordido han mordido	muerda muerdas muerda mordamos mordáis muerdan	haya mordido hayas mordido haya mordido hayamos mordido hayáis mordido hayan mordido
Pretérito imperfecto	**Pretérito pluscuamperfecto**	**Pretérito imperfecto**	**Pretérito pluscuamperfecto**
mordía mordías mordía mordíamos mordíais mordían	había mordido habías mordido había mordido habíamos mordido habíais mordido habían mordido	mordiera mordieras mordiera mordiéramos mordierais mordieran	hubiera mordido hubieras mordido hubiera mordido hubiéramos mordido hubierais mordido hubieran mordido
Pretérito perfecto simple	**Pretérito anterior**	mordiese mordieses mordiese mordiésemos mordieseis mordiesen	hubiese mordido hubieses mordido hubiese mordido hubiésemos mordido hubieseis mordido hubiesen mordido
mordí mordiste mordió mordimos mordisteis mordieron	hube mordido hubiste mordido hubo mordido hubimos mordido hubisteis mordido hubieron mordido		
Futuro	**Futuro perfecto**	**Futuro**	**Futuro perfecto**
morderé morderás morderá morderemos morderéis morderán	habré mordido habrás mordido habrá mordido habremos mordido habréis mordido habrán mordido	mordiere mordieres mordiere mordiéremos mordiereis mordieren	hubiere mordido hubieres mordido hubiere mordido hubiéremos mordido hubiereis mordido hubieren mordido

Condicional		Imperativo
Condicional	**Condicional perfecto**	
mordería	habría mordido	muerde
morderías	habrías mordido	muerda
mordería	habría mordido	mordamos
morderíamos	habríamos mordido	morded
morderíais	habríais mordido	muerdan
morderían	habrían mordido	

– TABLEAU 10 –
VERBE IRRÉGULIER À FERMETURE DE VOYELLE : *SERVIR* (SERVIR)

– **Infinitivo :** servir
– **Participio :** servido
– **Gerundio :** sirviendo

Indicativo		Subjuntivo	
Presente	**Pretérito perfecto compuesto**	**Presente**	**Pretérito perfecto**
sirvo sirves sirve servimos servís sirven	he servido has servido ha servido hemos servido habéis servido han servido	sirva sirvas sirva sirvamos sirváis sirvan	haya servido hayas servido haya servido hayamos servido hayáis servido hayan servido
Pretérito imperfecto	**Pretérito pluscuamperfecto**	**Pretérito imperfecto**	**Pretérito pluscuamperfecto**
servía servías servía servíamos servíais servían	había servido habías servido había servido habíamos servido habíais servido habían servido	sirviera sirvieras sirviera sirviéramos sirvierais sirvieran	hubiera servido hubieras servido hubiera servido hubiéramos servido hubierais servido hubieran servido
Pretérito perfecto simple	**Pretérito anterior**	sirviese sirvieses sirviese sirviésemos sirvieseis sirviesen	hubiese servido hubieses servido hubiese servido hubiésemos servido hubieseis servido hubiesen servido
serví serviste sirvió servimos servisteis sirvieron	hube servido hubiste servido hubo servido hubimos servido hubisteis servido hubieron servido		
Futuro	**Futuro perfecto**	**Futuro**	**Futuro perfecto**
serviré servirás servirá serviremos serviréis servirán	habré servido habrás servido habrá servido habremos servido habréis servido habrán servido	sirviere sirvieres sirviere sirviéremos sirviereis sirvieren	hubiere servido hubieres servido hubiere servido hubiéremos servido hubiereis servido hubieren servido

CONDICIONAL		IMPERATIVO
Condicional	**Condicional perfecto**	
servíría servirías serviría serviríamos serviríais servirían	habría servido habrías servido habría servido habríamos servido habríais servido habrían servido	sirve sirva sirvamos servid sirvan

– TABLEAU 11 –
VERBE IRRÉGULIER COMBINÉ : *SENTIR* (SENTIR, RESSENTIR)

– **Infinitivo :** sentir
– **Participio :** sentido
– **Gerundio :** sintiendo

INDICATIVO		SUBJUNTIVO	
Presente	**Pretérito perfecto compuesto**	**Presente**	**Pretérito perfecto**
siento sientes siente sentimos sentís sienten	he sentido has sentido ha sentido hemos sentido habéis sentido han sentido	sienta sientas sienta sintamos sintáis sientan	haya sentido hayas sentido haya sentido hayamos sentido hayáis sentido hayan sentido
Pretérito imperfecto	**Pretérito pluscuamperfecto**	**Pretérito imperfecto**	**Pretérito pluscuamperfecto**
sentía sentías sentía sentíamos sentíais sentían	había sentido habías sentido había sentido habíamos sentido habíais sentido habían sentido	sintiera sintieras sintiera sintiéramos sintierais sintieran	hubiera sentido hubieras sentido hubiera sentido hubiéramos sentido hubierais sentido hubieran sentido
Pretérito perfecto simple	**Pretérito anterior**	sintiese sintieses sintiese sintiésemos sintieseis sintiesen	hubiese sentido hubieses sentido hubiese sentido hubiésemos sentido hubieseis sentido hubiesen sentido
sentí sentiste sintió sentimos sentisteis sintieron	hube sentido hubiste sentido hubo sentido hubimos sentido hubisteis sentido hubieron sentido		
Futuro	**Futuro perfecto**	**Futuro**	**Futuro perfecto**
sentiré sentirás sentirá sentiremos sentiréis sentirán	habré sentido habrás sentido habrá sentido habremos sentido habréis sentido habrán sentido	sintiere sintieres sintiere sintiéremos sintiereis sintieren	hubiere sentido hubieres sentido hubiere sentido hubiéremos sentido hubiereis sentido hubieren sentido

Condicional		Imperativo
Condicional	**Condicional perfecto**	
sentiría sentirías sentiría sentiríamos sentiríais sentirían	habría sentido habrías sentido habría sentido habríamos sentido habríais sentido habrían sentido	siente sienta sintamos sentid sientan

– TABLEAU 12 –
VERBE IRRÉGULIER COMBINÉ : *DORMIR* (DORMIR)

- **Infinitivo :** dormir
- **Participio :** dormido
- **Gerundio :** durmiendo

INDICATIVO		SUBJUNTIVO	
Presente	**Pretérito perfecto compuesto**	**Presente**	**Pretérito perfecto**
duermo duermes duerme dormimos dormís duermen	he dormido has dormido ha dormido hemos dormido habéis dormido han dormido	duerma duermas duerma durmamos durmáis duerman	haya dormido hayas dormido haya dormido hayamos dormido hayáis dormido hayan dormido
Pretérito imperfecto	**Pretérito pluscuamperfecto**	**Pretérito imperfecto**	**Pretérito pluscuamperfecto**
dormía dormías dormía dormíamos dormíais dormían	había dormido habías dormido había dormido habíamos dormido habíais dormido habían dormido	durmiera durmieras durmiera durmiéramos durmierais durmieran	hubiera dormido hubieras dormido hubiera dormido hubiéramos dormido hubierais dormido hubieran dormido
Pretérito perfecto simple	**Pretérito anterior**		
dormí dormiste durmió dormimos dormisteis durmieron	hube dormido hubiste dormido hubo dormido hubimos dormido hubisteis dormido hubieron dormido	durmiese durmieses durmiese durmiésemos durmieseis durmiesen	hubiese dormido hubieses dormido hubiese dormido hubiésemos dormido hubieseis dormido hubiesen dormido
Futuro	**Futuro perfecto**	**Futuro**	**Futuro perfecto**
dormiré dormirás dormirá dormiremos dormiréis dormirán	habré dormido habrás dormido habrá dormido habremos dormido habréis dormido habrán dormido	durmiere durmieres durmiere durmiéremos durmiereis durmieren	hubiere dormido hubieres dormido hubiere dormido hubiéremos dormido hubiereis dormido hubieren dormido

Condicional		Imperativo
Condicional	**Condicional perfecto**	
dormiría dormirías dormiría dormiríamos dormiríais dormirían	habría dormido habrías dormido habría dormido habríamos dormido habríais dormido habrían dormido	duerme duerma durmamos dormid duerman

– TABLEAU 13 –
VERBE IRRÉGULIER EN -CER :
MERECER (MÉRITER)

- **Infinitivo :** merecer
- **Participio :** merecido
- **Gerundio :** mereciendo

Indicativo		Subjuntivo	
Presente	**Pretérito perfecto compuesto**	**Presente**	**Pretérito perfecto**
merezco mereces merece merecemos merecéis merecen	he merecido has merecido ha merecido hemos merecido habéis merecido han merecido	merezca merezcas merezca merezcamos merezcáis merezcan	haya merecido hayas merecido haya merecido hayamos merecido hayáis merecido hayan merecido
Pretérito imperfecto	**Pretérito pluscuamperfecto**	**Pretérito imperfecto**	**Pretérito pluscuamperfecto**
merecía merecías merecía merecíamos merecíais merecían	había merecido habías merecido había merecido habíamos merecido habíais merecido habían merecido	mereciera merecieras mereciera mereciéramos merecierais merecieran	hubiera merecido hubieras merecido hubiera merecido hubiéramos merecido hubierais merecido hubieran merecido
Pretérito perfecto simple	**Pretérito anterior**	mereciese merecieses mereciese mereciésemos merecieseis mereciesen	hubiese merecido hubieses merecido hubiese merecido hubiésemos merecido hubieseis merecido hubiesen merecido
merecí mereciste mereció merecimos merecisteis merecieron	hube merecido hubiste merecido hubo merecido hubimos merecido hubisteis merecido hubieron merecido		
Futuro	**Futuro perfecto**	**Futuro**	**Futuro perfecto**
mereceré merecerás merecerá mereceremos mereceréis merecerán	habré merecido habrás merecido habrá merecido habremos merecido habréis merecido habrán merecido	mereciere merecieres mereciere mereciéremos mereciereis merecieren	hubiere merecido hubieres merecido hubiere merecido hubiéremos merecido hubiereis merecido hubieren merecido

Condicional		Imperativo
Condicional	**Condicional perfecto**	
merecería merecerías merecería mereceríamos mereceríais merecerían	habría merecido habrías merecido habría merecido habríamos merecido habríais merecido habrían merecido	merece merezca merezcamos mereced merezcan

– TABLEAU 14 –
VERBE IRRÉGULIER EN -UCIR :
LUCIR (BRILLER, LUIRE)

– **Infinitivo :** lucir
– **Participio :** lucido
– **Gerundio :** luciendo

Indicativo		Subjuntivo	
Presente	**Pretérito perfecto compuesto**	**Presente**	**Pretérito perfecto**
luzco luces luce lucimos lucís lucen	he lucido has lucido ha lucido hemos lucido habéis lucido han lucido	luzca luzcas luzca luzcamos luzcáis luzcan	haya lucido hayas lucido haya lucido hayamos lucido hayáis lucido hayan lucido
Pretérito imperfecto	**Pretérito pluscuamperfecto**	**Pretérito imperfecto**	**Pretérito pluscuamperfecto**
lucía lucías lucía lucíamos lucíais lucían	había lucido habías lucido había lucido habíamos lucido habíais lucido habían lucido	luciera lucieras luciera luciéramos lucierais lucieran luciese lucieses luciese luciésemos lucieseis luciesen	hubiera lucido hubieras lucido hubiera lucido hubiéramos lucido hubierais lucido hubieran lucido hubiese lucido hubieses lucido hubiese lucido hubiésemos lucido hubieseis lucido hubiesen lucido
Pretérito perfecto simple	**Pretérito anterior**		
lucí luciste lució lucimos lucisteis lucieron	hube lucido hubiste lucido hubo lucido hubimos lucido hubisteis lucido hubieron lucido		
Futuro	**Futuro perfecto**	**Futuro**	**Futuro perfecto**
luciré lucirás lucirá luciremos luciréis lucirán	habré lucido habrás lucido habrá lucido habremos lucido habréis lucido habrán lucido	luciere lucieres luciere luciéremos luciereis lucieren	hubiere lucido hubieres lucido hubiere lucido hubiéremos lucido hubiereis lucido hubieren lucido

CONDICIONAL		IMPERATIVO
Condicional	**Condicional perfecto**	
luciría	habría lucido	luce
lucirías	habrías lucido	luzca
luciría	habría lucido	luzcamos
luciríamos	habríamos lucido	lucid
luciríais	habríais lucido	luzcan
lucirían	habrían lucido	

– TABLEAU 15 –
VERBE IRRÉGULIER EN -DUCIR :
DEDUCIR (DÉDUIRE)

– **Infinitivo :** deducir
– **Participio :** deducido
– **Gerundio :** deduciendo

Indicativo		Subjuntivo	
Presente	**Pretérito perfecto compuesto**	**Presente**	**Pretérito perfecto**
deduzco deduces deduce deducimos deducís deducen	he deducido has deducido ha deducido hemos deducido habéis deducido han deducido	deduzca deduzcas deduzca deduzcamos deduzcáis deduzcan	haya deducido hayas deducido haya deducido hayamos deducido hayáis deducido hayan deducido
Pretérito imperfecto	**Pretérito pluscuamperfecto**	**Pretérito imperfecto**	**Pretérito pluscuamperfecto**
deducía deducías deducía deducíamos deducíais deducían	había deducido habías deducido había deducido habíamos deducido habíais deducido habían deducido	dedujera dedujeras dedujera dedujéramos dedujerais dedujeran	hubiera deducido hubieras deducido hubiera deducido hubiéramos deducido hubierais deducido hubieran deducido
Pretérito perfecto simple	**Pretérito anterior**	dedujese dedujeses dedujese dedujésemos dedujeseis dedujesen	hubiese deducido hubieses deducido hubiese deducido hubiésemos deducido hubieseis deducido hubiesen deducido
deduje dedujiste dedujo dedujimos dedujisteis dedujeron	hube deducido hubiste deducido hubo deducido hubimos deducido hubisteis deducido hubieron deducido		
Futuro	**Futuro perfecto**	**Futuro**	**Futuro perfecto**
deduciré deducirás deducirá deduciremos deduciréis deducirán	habré deducido habrás deducido habrá deducido habremos deducido habréis deducido habrán deducido	dedujere dedujeres dedujere dedujéremos dedujereis dedujeren	hubiere deducido hubieres deducido hubiere deducido hubiéremos deducido hubiereis deducido hubieren deducido

Condicional		Imperativo
Condicional	**Condicional perfecto**	
deduciría deducirías deduciría deduciríamos deduciríais deducirían	habría deducido habrías deducido habría deducido habríamos deducido habríais deducido habrían deducido	deduce deduzca deduzcamos deducid deduzcan

– TABLEAU 16 –
VERBE IRRÉGULIER EN -UIR :
HUIR (FUIR, S'ENFUIR)

– **Infinitivo :** huir
– **Participio :** huido
– **Gerundio :** huyendo

INDICATIVO		SUBJUNTIVO	
Presente	**Pretérito perfecto compuesto**	**Presente**	**Pretérito perfecto**
huyo huyes huye huimos huís huyen	he huido has huido ha huido hemos huido habéis huido han huido	huya huyas huya huyamos huyáis huyan	haya huido hayas huido haya huido hayamos huido hayáis huido hayan huido
Pretérito imperfecto	**Pretérito pluscuamperfecto**	**Pretérito imperfecto**	**Pretérito pluscuamperfecto**
huía huías huía huíamos huíais huían	había huido habías huido había huido habíamos huido habíais huido habían huido	huyera huyeras huyera huyéramos huyerais huyeran	hubiera huido hubieras huido hubiera huido hubiéramos huido hubierais huido hubieran huido
Pretérito perfecto simple	**Pretérito anterior**	huyese huyeses huyese huyésemos huyeseis huyesen	hubiese huido hubieses huido hubiese huido hubiésemos huido hubieseis huido hubiesen huido
huí huiste huyó huimos huisteis huyeron	hube huido hubiste huido hubo huido hubimos huido hubisteis huido hubieron huido		
Futuro	**Futuro perfecto**	**Futuro**	**Futuro perfecto**
huiré huirás huirá huiremos huiréis huirán	habré huido habrás huido habrá huido habremos huido habréis huido habrán huido	huyere huyeres huyere huyéremos huyereis huyeren	hubiere huido hubieres huido hubiere huido hubiéremos huido hubiereis huido hubieren huido

Condicional		Imperativo
Condicional	**Condicional perfecto**	
huiría huirías huiría huiríamos huiríais huirían	habría huido habrías huido habría huido habríamos huido habríais huido habrían huido	huye huya huyamos huíd huyan

– TABLEAU 17 –
FAUX VERBE IRRÉGULIER :
TOCAR (TOUCHER)

– **Infinitivo :** tocar
– **Participio :** tocado
– **Gerundio :** tocando

INDICATIVO		SUBJUNTIVO	
Presente	**Pretérito perfecto compuesto**	**Presente**	**Pretérito perfecto**
toco	he tocado	toque	haya tocado
tocas	has tocado	toques	hayas tocado
toca	ha tocado	toque	haya tocado
tocamos	hemos tocado	toquemos	hayamos tocado
tocáis	habéis tocado	toquéis	hayáis tocado
tocan	han tocado	toquen	hayan tocado
Pretérito imperfecto	**Pretérito pluscuamperfecto**	**Pretérito imperfecto**	**Pretérito pluscuamperfecto**
tocaba	había tocado	tocara	hubiera tocado
tocabas	habías tocado	tocaras	hubieras tocado
tocaba	había tocado	tocara	hubiera tocado
tocábamos	habíamos tocado	tocáramos	hubiéramos tocado
tocabais	habíais tocado	tocarais	hubierais tocado
tocaban	habían tocado	tocaran	hubieran tocado
Pretérito perfecto simple	**Pretérito anterior**		
toqué	hube tocado	tocase	hubiese tocado
tocaste	hubiste tocado	tocases	hubieses tocado
tocó	hubo tocado	tocase	hubiese tocado
tocamos	hubimos tocado	tocásemos	hubiésemos tocado
tocasteis	hubisteis tocado	tocaseis	hubieseis tocado
tocaron	hubieron tocado	tocasen	hubiesen tocado
Futuro	**Futuro perfecto**	**Futuro**	**Futuro perfecto**
tocaré	habré tocado	tocare	hubiere tocado
tocarás	habrás tocado	tocares	hubieres tocado
tocará	habrá tocado	tocare	hubiere tocado
tocaremos	habremos tocado	tocáremos	hubiéremos tocado
tocaréis	habréis tocado	tocareis	hubiereis tocado
tocarán	habrán tocado	tocaren	hubieren tocado

Condicional		Imperativo
Condicional	**Condicional perfecto**	
tocaría tocarías tocaría tocaríamos tocaríais tocarían	habría tocado habrías tocado habría tocado habríamos tocado habríais tocado habrían tocado	toca toque toquemos tocad toquen

– TABLEAU 18 –
FAUX VERBE IRRÉGULIER :
TRAGAR (AVALER)

– **Infinitivo :** tragar
– **Participio :** tragado
– **Gerundio :** tragando

INDICATIVO		SUBJUNTIVO	
Presente	**Pretérito perfecto compuesto**	**Presente**	**Pretérito perfecto**
trago tragas traga tragamos tragáis tragan	he tragado has tragado ha tragado hemos tragado habéis tragado han tragado	trague tragues trague traguemos traguéis traguen	haya tragado hayas tragado haya tragado hayamos tragado hayáis tragado hayan tragado
Pretérito imperfecto	**Pretérito pluscuamperfecto**	**Pretérito imperfecto**	**Pretérito pluscuamperfecto**
tragaba tragabas tragaba tragábamos tragabais tragaban	había tragado habías tragado había tragado habíamos tragado habíais tragado habían tragado	tragara tragaras tragara tragáramos tragarais tragaran tragase tragases tragase tragásemos tragaseis tragasen	hubiera tragado hubieras tragado hubiera tragado hubiéramos tragado hubierais tragado hubieran tragado hubiese tragado hubieses tragado hubiese tragado hubiésemos tragado hubieseis tragado hubiesen tragado
Pretérito perfecto simple	**Pretérito anterior**		
tragué tragaste tragó tragamos tragasteis tragaron	hube tragado hubiste tragado hubo tragado hubimos tragado hubisteis tragado hubieron tragado		
Futuro	**Futuro perfecto**	**Futuro**	**Futuro perfecto**
tragaré tragarás tragará tragaremos tragaréis tragarán	habré tragado habrás tragado habrá tragado habremos tragado habréis tragado habrán tragado	tragare tragares tragare tragáremos tragareis tragaren	hubiere tragado hubieres tragado hubiere tragado hubiéremos tragado hubiereis tragado hubieren tragado

Condicional		Imperativo
Condicional	**Condicional perfecto**	
tragaría tragarías tragaría tragaríamos tragaríais tragarían	habría tragado habrías tragado habría tragado habríamos tragado habríais tragado habrían tragado	traga trague traguemos tragad traguen

– TABLEAU 19 –
FAUX VERBE IRRÉGULIER :
ALCANZAR (ATTEINDRE)

– **Infinitivo :** alcanzar
– **Participio :** alcanzado
– **Gerundio :** alcanzando

INDICATIVO		SUBJUNTIVO	
Presente	**Pretérito perfecto compuesto**	**Presente**	**Pretérito perfecto**
alcanzo alcanzas alcanza alcanzamos alcanzáis alcanzan	he alcanzado has alcanzado ha alcanzado hemos alcanzado habéis alcanzado han alcanzado	alcance alcances alcance alcancemos alcancéis alcancen	haya alcanzado hayas alcanzado haya alcanzado hayamos alcanzado hayáis alcanzado hayan alcanzado
Pretérito imperfecto	**Pretérito pluscuamperfecto**	**Pretérito imperfecto**	**Pretérito pluscuamperfecto**
alcanzaba alcanzabas alcanzaba alcanzábamos alcanzabais alcanzaban	había alcanzado habías alcanzado había alcanzado habíamos alcanzado habíais alcanzado habían alcanzado	alcanzara alcanzaras alcanzara alcanzáramos alcanzarais alcanzaran	hubiera alcanzado hubieras alcanzado hubiera alcanzado hubiéramos alcanzado hubierais alcanzado hubieran alcanzado
Pretérito perfecto simple	**Pretérito anterior**	alcanzase alcanzases alcanzase alcanzásemos alcanzaseis alcanzasen	hubiese alcanzado hubieses alcanzado hubiese alcanzado hubiésemos alcanzado hubieseis alcanzado hubiesen alcanzado
alcancé alcanzaste alcanzó alcanzamos alcanzasteis alcanzaron	hube alcanzado hubiste alcanzado hubo alcanzado hubimos alcanzado hubisteis alcanzado hubieron alcanzado		
Futuro	**Futuro perfecto**	**Futuro**	**Futuro perfecto**
alcanzaré alcanzarás alcanzará alcanzaremos alcanzaréis alcanzarán	habré alcanzado habrás alcanzado habrá alcanzado habremos alcanzado habréis alcanzado habrán alcanzado	alcanzare alcanzares alcanzare alcanzáremos alcanzareis alcanzaren	hubiere alcanzado hubieres alcanzado hubiere alcanzado hubiéremos alcanzado hubiereis alcanzado hubieren alcanzado

Condicional		Imperativo
Condicional	Condicional perfecto	
alcanzaría alcanzarías alcanzaría alcanzaríamos alcanzaríais alcanzarían	habría alcanzado habrías alcanzado habría alcanzado habríamos alcanzado habríais alcanzado habrían alcanzado	alcanza alcance alcancemos alcanzad alcancen

– TABLEAU 20 –
FAUX VERBE IRRÉGULIER :
CONVENCER (CONVAINCRE)

– **Infinitivo :** convencer
– **Participio :** convencido
– **Gerundio :** convenciendo

INDICATIVO		SUBJUNTIVO	
Presente	**Pretérito Perfecto Compuesto**	**Presente**	**Pretérito perfecto**
convenzo convences convence convencemos convencéis convencen	he convencido has convencido ha convencido hemos convencido habéis convencido han convencido	convenza convenzas convenza convenzamos convenzáis convenzan	haya convencido hayas convencido haya convencido hayamos convencido hayáis convencido hayan convencido
Pretérito imperfecto	**Pretérito pluscuamperfecto**	**Pretérito imperfecto**	**Pretérito pluscuamperfecto**
convencía convencías convencía convencíamos convencíais convencían	había convencido habías convencido había convencido habíamos convencido habíais convencido habían convencido	convenciera convencieras convenciera convenciéramos convencierais convencieran	hubiera convencido hubieras convencido hubiera convencido hubiéramos convencido hubierais convencido hubieran convencido
Pretérito perfecto simple	**Pretérito anterior**		
convencí convenciste convenció convencimos convencisteis convencieron	hube convencido hubiste convencido hubo convencido hubimos convencido hubisteis convencido hubieron convencido	convenciese convencieses convenciese convenciésemos convencieseis convenciesen	hubiese convencido hubieses convencido hubiese convencido hubiésemos convencido hubieseis convencido hubiesen convencido

Futuro	Futuro perfecto	Futuro	Futuro perfecto
convenceré convencerás convencerá convenceremos convenceréis convencerán	habré convencido habrás convencido habrá convencido habremos convencido habréis convencido habrán convencido	convenciere convencieres convenciere convenciéremos convenciereis convencieren	hubiere convencido hubieres convencido hubiere convencido hubiéremos convencido hubiereis convencido hubieren convencido
Condicional		**Imperativo**	
Condicional	**Condicional perfecto**		
convencería convencerías convencería convenceríamos convenceríais convencerían	habría convencido habrías convencido habría convencido habríamos convencido habríais convencido habrían convencido	convence convenza convenzamos convenced convenzan	

– TABLEAU 21 –
FAUX VERBE IRRÉGULIER :
EXIGIR (EXIGER)

– **Infinitivo :** exigir
– **Participio :** exigido
– **Gerundio :** exigiendo

INDICATIVO		SUBJUNTIVO	
Presente	**Pretérito perfecto compuesto**	**Presente**	**Pretérito perfecto**
exijo exiges exige exigimos exigís exigen	he exigido has exigido ha exigido hemos exigido habéis exigido han exigido	exija exijas exija exijamos exijáis exijan	haya exigido hayas exigido haya exigido hayamos exigido hayáis exigido hayan exigido
Pretérito imperfecto	**Pretérito pluscuamperfecto**	**Pretérito imperfecto**	**Pretérito pluscuamperfecto**
exigía exigías exigía exigíamos exigíais exigían	había exigido habías exigido había exigido habíamos exigido habíais exigido habían exigido	exigiera exigieras exigiera exigiéramos exigierais exigieran exigiese exigieses exigiese exigiésemos exigieseis exigiesen	hubiera exigido hubieras exigido hubiera exigido hubiéramos exigido hubierais exigido hubieran exigido hubiese exigido hubieses exigido hubiese exigido hubiésemos exigido hubieseis exigido hubiesen exigido
Pretérito perfecto simple	**Pretérito anterior**		
exigí exigiste exigió exigimos exigisteis exigieron	hube exigido hubiste exigido hubo exigido hubimos exigido hubisteis exigido hubieron exigido		
Futuro	**Futuro perfecto**	**Futuro**	**Futuro perfecto**
exigiré exigirás exigirá exigiremos exigiréis exigirán	habré exigido habrás exigido habrá exigido habremos exigido habréis exigido habrán exigido	exigiere exigieres exigiere exigiéremos exigiereis exigieren	hubiere exigido hubieres exigido hubiere exigido hubiéremos exigido hubiereis exigido hubieren exigido

Condicional		Imperativo
Condicional	**Condicional perfecto**	
exigiría	habría exigido	exige
exigirías	habrías exigido	exija
exigiría	habría exigido	exijamos
exigiríamos	habríamos exigido	exigid
exigiríais	habríais exigido	exijan
exigirían	habrían exigido	

– TABLEAU 22 –
FAUX VERBE IRRÉGULIER EN -IAR : *GUIAR* (GUIDER)

- **Infinitivo :** guiar
- **Participio :** guiado
- **Gerundio :** guiando

INDICATIVO		SUBJUNTIVO	
Presente	**Pretérito perfecto compuesto**	**Presente**	**Pretérito perfecto**
guío guías guía guiamos guiáis guían	he guiado has guiado ha guiado hemos guiado habéis guiado han guiado	guíe guíes guíe guiemos guiéis guíen	haya guiado hayas guiado haya guiado hayamos guiado hayáis guiado hayan guiado
Pretérito imperfecto	**Pretérito pluscuamperfecto**	**Pretérito imperfecto**	**Pretérito pluscuamperfecto**
guiaba guiabas guiaba guiábamos guiabais guiaban	había guiado habías guiado había guiado habíamos guiado habíais guiado habían guiado	guiara guiaras guiara guiáramos guiarais guiaran guiase guiases guiase guiásemos guiaseis guiasen	hubiera guiado hubieras guiado hubiera guiado hubiéramos guiado hubierais guiado hubieran guiado hubiese guiado hubieses guiado hubiese guiado hubiésemos guiado hubieseis guiado hubiesen guiado
Pretérito perfecto simple	**Pretérito anterior**		
guié guiaste guió guiamos guiasteis guiaron	hube guiado hubiste guiado hubo guiado hubimos guiado hubisteis guiado hubieron guiado		
Futuro	**Futuro perfecto**	**Futuro**	**Futuro perfecto**
guiaré guiarás guiará guiaremos guiaréis guiarán	habré guiado habrás guiado habrá guiado habremos guiado habréis guiado habrán guiado	guiare guiares guiare guiáremos guiareis guiaren	hubiere guiado hubieres guiado hubiere guiado hubiéremos guiado hubiereis guiado hubieren guiado

CONDICIONAL		IMPERATIVO
Condicional	**Condicional perfecto**	
guiaría guiarías guiaría guiaríamos guiaríais guiarían	habría guiado habrías guiado habría guiado habríamos guiado habríais guiado habrían guiado	guía guíe guiemos guiad guíen

– TABLEAU 23 –
FAUX VERBE IRRÉGULIER : *ACTUAR* (AGIR)

– **Infinitivo :** actuar
– **Participio :** actuado
– **Gerundio :** actuando

Indicativo		Subjuntivo	
Presente	**Pretérito perfecto compuesto**	**Presente**	**Pretérito perfecto**
actúo actúas actúa actuamos actuáis actúan	he actuado has actuado ha actuado hemos actuado habéis actuado han actuado	actúe actúes actúe actuemos actuéis actúen	haya actuado hayas actuado haya actuado hayamos actuado hayáis actuado hayan actuado
Pretérito imperfecto	**Pretérito pluscuamperfecto**	**Pretérito imperfecto**	**Pretérito pluscuamperfecto**
actuaba actuabas actuaba actuábamos actuabais actuaban	había actuado habías actuado había actuado habíamos actuado habíais actuado habían actuado	actuara actuaras actuara actuáramos actuarais actuaran	hubiera actuado hubieras actuado hubiera actuado hubiéramos actuado hubierais actuado hubieran actuado
Pretérito perfecto simple	**Pretérito anterior**	actuase actuases actuase actuásemos actuaseis actuasen	hubiese actuado hubieses actuado hubiese actuado hubiésemos actuado hubieseis actuado hubiesen actuado
actué actuaste actuó actuamos actuasteis actuaron	hube actuado hubiste actuado hubo actuado hubimos actuado hubisteis actuado hubieron actuado		
Futuro	**Futuro perfecto**	**Futuro**	**Futuro perfecto**
actuaré actuarás actuará actuaremos actuaréis actuarán	habré actuado habrás actuado habrá actuado habremos actuado habréis actuado habrán actuado	actuare actuares actuare actuáremos actuareis actuaren	hubiere actuado hubieres actuado hubiere actuado hubiéremos actuado hubiereis actuado hubieren actuado

Condicional		Imperativo
Condicional	**Condicional perfecto**	
actuaría	habría actuado	actúa
actuarías	habrías actuado	actúe
actuaría	habría actuado	actuemos
actuaríamos	habríamos actuado	actuad
actuaríais	habríais actuado	actúen
actuarían	habrían actuado	

– TABLEAU 24 –
FAUX VERBE IRRÉGULIER EN -GUAR : *AVERIGUAR* (RECHERCHER)

– **Infinitivo :** averiguar
– **Participio :** averiguado
– **Gerundio :** averiguando

INDICATIVO		SUBJUNTIVO	
Presente	**Pretérito perfecto compuesto**	**Presente**	**Pretérito perfecto**
averiguo averiguas averigua averiguamos averiguáis averiguan	he averiguado has averiguado ha averiguado hemos averiguado habéis averiguado han averiguado	averigüe averigües averigüe averigüemos averigüéis averigüen	haya averiguado hayas averiguado haya averiguado hayamos averiguado hayáis averiguado hayan averiguado
Pretérito imperfecto	**Pretérito pluscuamperfecto**	**Pretérito imperfecto**	**Pretérito pluscuamperfecto**
averiguaba averiguabas averiguaba averiguábamos averiguabais averiguaban	había averiguado habías averiguado había averiguado habíamos averiguado habíais averiguado habían averiguado	averiguara averiguaras averiguara averiguáramos averiguarais averiguaran averiguase averiguases averiguase averiguásemos averiguaseis averiguasen	hubiera averiguado hubieras averiguado hubiera averiguado hubiéramos averiguado hubierais averiguado hubieran averiguado hubiese averiguado hubieses averiguado hubiese averiguado hubiésemos averiguado hubieseis averiguado hubiesen averiguado
Pretérito perfecto simple	**Pretérito anterior**		
averigüé averiguaste averiguó averiguamos averiguasteis averiguaron	hube averiguado hubiste averiguado hubo averiguado hubimos averiguado hubisteis averiguado hubieron averiguado		

Futuro	Futuro perfecto	Futuro	Futuro perfecto
averiguaré averiguarás averiguará averiguaremos averiguaréis averiguarán	habré averiguado habrás averiguado habrá averiguado habremos averiguado habréis averiguado habrán averiguado	averiguare averiguares averiguare averiguáremos averiguareis averiguaren	hubiere averiguado hubieres averiguado hubiere averiguado hubiéremos averiguado hubiereis averiguado hubieren averiguado
CONDICIONAL		**IMPERATIVO**	
Condicional	**Condicional perfecto**		
averiguaría averiguarías averiguaría averiguaríamos averiguaríais averiguarían	habría averiguado habrías averiguado habría averiguado habríamos averiguado habríais averiguado habrían averiguado	averigua averigüe averigüemos averiguad averigüen	

– TABLEAU 25 –
VERBE IRRÉGULIER :
ANDAR (MARCHER)

– **Infinitivo :** andar
– **Participio :** andado
– **Gerundio :** andando

INDICATIVO		SUBJUNTIVO	
Presente	**Pretérito perfecto compuesto**	**Presente**	**Pretérito perfecto**
ando andas anda andamos andáis andan	he andado has andado ha andado hemos andado habéis andado han andado	ande andes ande andemos andéis anden	haya andado hayas andado haya andado hayamos andado hayáis andado hayan andado
Pretérito imperfecto	**Pretérito pluscuamperfecto**	**Pretérito imperfecto**	**Pretérito pluscuamperfecto**
andaba andabas andaba andábamos andabais andaban	había andado habías andado había andado habíamos andado habíais andado habían andado	anduviera anduvieras anduviera anduviéramos anduvierais anduvieran anduviese anduvieses anduviese anduviésemos anduvieseis anduviesen	hubiera andado hubieras andado hubiera andado hubiéramos andado hubierais andado hubieran andado hubiese andado hubieses andado hubiese andado hubiésemos andado hubieseis andado hubiesen andado
Pretérito perfecto simple	**Pretérito anterior**		
anduve anduviste anduvo anduvimos anduvisteis anduvieron	hube andado hubiste andado hubo andado hubimos andado hubisteis andado hubieron andado		
Futuro	**Futuro perfecto**	**Futuro**	**Futuro perfecto**
andaré andarás andará andaremos andaréis andarán	habré andado habrás andado habrá andado habremos andado habréis andado habrán andado	anduviere anduvieres anduviere anduviéremos anduviereis anduvieren	hubiere andado hubieres andado hubiere andado hubiéremos andado hubiereis andado hubieren andado

CONDICIONAL		IMPERATIVO
Condicional	**Condicional perfecto**	
andaría andarías andaría andaríamos andaríais andarían	habría andado habrías andado habría andado habríamos andado habríais andado habrían andado	anda ande andemos andad anden

– TABLEAU 26 –
VERBE IRRÉGULIER : *AVERGONZAR* (FAIRE HONTE)

- **Infinitivo :** avergonzar
- **Participio :** avergonzado
- **Gerundio :** avergonzando

Indicativo		Subjuntivo	
Presente	**Pretérito perfecto compuesto**	**Presente**	**Pretérito perfecto**
avergüenzo avergüenzas avergüenza avergonzamos avergonzáis avergüenzan	he avergonzado has avergonzado ha avergonzado hemos avergonzado habéis avergonzado han avergonzado	avergüence avergüences avergüence avergoncemos avergoncéis avergüencen	haya avergonzado hayas avergonzado haya avergonzado hayamos avergonzado hayáis avergonzado hayan avergonzado
Pretérito imperfecto	**Pretérito pluscuamperfecto**	**Pretérito imperfecto**	**Pretérito pluscuamperfecto**
avergonzaba avergonzabas avergonzaba avergonzábamos avergonzabais avergonzaban	había avergonzado habías avergonzado había avergonzado habíamos avergonzado habíais avergonzado habían avergonzado	avergonzara avergonzaras avergonzara avergonzáramos avergonzarais avergonzaran	hubiera avergonzado hubieras avergonzado hubiera avergonzado hubiéramos avergonzado hubierais avergonzado hubieran avergonzado
Pretérito perfecto simple	**Pretérito anterior**		
avergoncé avergonzaste avergonzó avergonzamos avergonzasteis avergonzaron	hube avergonzado hubiste avergonzado hubo avergonzado hubimos avergonzado hubisteis avergonzado hubieron avergonzado	avergonzase avergonzases avergonzase avergonzásemos avergonzaseis avergonzasen	hubiese avergonzado hubieses avergonzado hubiese avergonzado hubiésemos avergonzado hubieseis avergonzado hubiesen avergonzado

Futuro	Futuro perfecto	Futuro	Futuro perfecto
avergonzaré avergonzarás avergonzará avergonzaremos avergonzaréis avergonzarán	habré avergonzado habrás avergonzado habrá avergonzado habremos avergonzado habréis avergonzado habrán avergonzado	avergonzare avergonzares avergonzare avergonzáremos avergonzareis avergonzaren	hubiere avergonzado hubieres avergonzado hubiere avergonzado hubiéremos avergonzado hubiereis avergonzado hubieren avergonzado

CONDICIONAL		IMPERATIVO
Condicional	**Condicional perfecto**	
avergonzaría avergonzarías avergonzaría avergonzaríamos avergonzaríais avergonzarían	habría avergonzado habrías avergonzado habría avergonzado habríamos avergonzado habríais avergonzado habrían avergonzado	avergüenza avergüence avergoncemos avergonzad avergüencen

– TABLEAU 27 –
VERBE IRRÉGULIER :
CABER (TENIR, ENTRER, RENTRER)

– **Infinitivo :** caber
– **Participio :** cabido
– **Gerundio :** cabiendo

INDICATIVO		SUBJUNTIVO	
Presente	**Pretérito perfecto compuesto**	**Presente**	**Pretérito perfecto**
quepo cabes cabe cabemos cabéis caben	he cabido has cabido ha cabido hemos cabido habéis cabido han cabido	quepa quepas quepa quepamos quepáis quepan	haya cabido hayas cabido haya cabido hayamos cabido hayáis cabido hayan cabido
Pretérito imperfecto	**Pretérito pluscuamperfecto**	**Pretérito imperfecto**	**Pretérito pluscuamperfecto**
cabía cabías cabía cabíamos cabíais cabían	había cabido habías cabido había cabido habíamos cabido habíais cabido habían cabido	cupiera cupieras cupiera cupiéramos cupierais cupieran	hubiera cabido hubieras cabido hubiera cabido hubiéramos cabido hubierais cabido hubieran cabido
Pretérito perfecto simple	**Pretérito anterior**		
cupe cupiste cupo cupimos cupisteis cupieron	hube cabido hubiste cabido hubo cabido hubimos cabido hubisteis cabido hubieron cabido	cupiese cupieses cupiese cupiésemos cupieseis cupiesen	hubiese cabido hubieses cabido hubiese cabido hubiésemos cabido hubieseis cabido hubiesen cabido
Futuro	**Futuro perfecto**	**Futuro**	**Futuro perfecto**
cabré cabrás cabrá cabremos cabréis cabrán	habré cabido habrás cabido habrá cabido habremos cabido habréis cabido habrán cabido	cupiere cupieres cupiere cupiéremos cupiereis cupieren	hubiere cabido hubieres cabido hubiere cabido hubiéremos cabido hubiereis cabido hubieren cabido

CONDICIONAL		IMPERATIVO
Condicional	**Condicional perfecto**	
cabría cabrías cabría cabríamos cabríais cabrían	habría cabido habrías cabido habría cabido habríamos cabido habríais cabido habrían cabido	cabe quepa quepamos cabed quepan

– TABLEAU 28 –
VERBE IRRÉGULIER :
CAER (TOMBER)

– **Infinitivo :** caer
– **Participio :** caído
– **Gerundio :** cayendo

INDICATIVO		SUBJUNTIVO	
Presente	**Pretérito perfecto compuesto**	**Presente**	**Pretérito perfecto**
caigo caes cae caemos caéis caen	he caído has caído ha caído hemos caído habéis caído han caído	caiga caigas caiga caigamos caigáis caigan	haya caído hayas caído haya caído hayamos caído hayáis caído hayan caído
Pretérito imperfecto	**Pretérito pluscuamperfecto**	**Pretérito imperfecto**	**Pretérito pluscuamperfecto**
caía caías caía caíamos caíais caían	había caído habías caído había caído habíamos caído habíais caído habían caído	cayera cayeras cayera cayéramos cayerais cayeran	hubiera caído hubieras caído hubiera caído hubiéramos caído hubierais caído hubieran caído
Pretérito perfecto simple	**Pretérito anterior**	cayese cayeses cayese cayésemos cayeseis cayesen	hubiese caído hubieses caído hubiese caído hubiésemos caído hubieseis caído hubiesen caído
caí caíste cayó caímos caísteis cayeron	hube caído hubiste caído hubo caído hubimos caído hubisteis caído hubieron caído		
Futuro	**Futuro perfecto**	**Futuro**	**Futuro perfecto**
caeré caerás caerá caeremos caeréis caerán	habré caído habrás caído habrá caído habremos caído habréis caído habrán caído	cayere cayeres cayere cayéremos cayereis cayeren	hubiere caído hubieres caído hubiere caído hubiéremos caído hubiereis caído hubieren caído

Condicional		Imperativo
Condicional	**Condicional perfecto**	
caería caerías caería caeríamos caeríais caerían	habría caído habrías caído habría caído habríamos caído habríais caído habrían caído	cae caiga caigamos caed caigan

– TABLEAU 29 –
VERBE IRRÉGULIER :
CREER (CROIRE)

- **Infinitivo :** creer
- **Participio :** creído
- **Gerundio :** creyendo

INDICATIVO		SUBJUNTIVO	
Presente	**Pretérito perfecto compuesto**	**Presente**	**Pretérito perfecto**
creo crees cree creemos creéis creen	he creído has creído ha creído hemos creído habéis creído han creído	creyera creyeras creyera creyéramos creyerais creyeran	haya creído hayas creído haya creído hayamos creído hayáis creído hayan creído
Pretérito imperfecto	**Pretérito pluscuamperfecto**	**Pretérito imperfecto**	**Pretérito pluscuamperfecto**
creía creías creía creíamos creíais creían	había creído habías creído había creído habíamos creído habíais creído habían creído	creyera creyeras creyera creyéramos creyerais creyeran	hubiera creído hubieras creído hubiera creído hubiéramos creído hubierais creído hubieran creído
Pretérito perfecto simple	**Pretérito anterior**	creyese creyeses creyese creyésemos creyeseis creyesen	hubiese creído hubieses creído hubiese creído hubiésemos creído hubieseis creído hubiesen creído
creí creíste creyó creímos creísteis creyeron	hube creído hubiste creído hubo creído hubimos creído hubisteis creído hubieron creído		
Futuro	**Futuro perfecto**	**Futuro**	**Futuro perfecto**
creeré creerás creerá creeremos creeréis creerán	habré creído habrás creído habrá creído habremos creído habréis creído habrán creído	creyere creyeres creyere creyéremos creyereis creyeren	hubiere creído hubieres creído hubiere creído hubiéremos creído hubiereis creído hubieren creído

Condicional		Imperativo
Condicional	**Condicional perfecto**	
creería creerías creería creeríamos creeríais creerían	habría creído habrías creído habría creído habríamos creído habríais creído habrían creído	cree crea creamos creed crean

– TABLEAU 30 –
VERBE IRRÉGULIER :
DAR (DONNER)

– **Infinitivo :** dar
– **Participio :** dado
– **Gerundio :** dando

Indicativo		Subjuntivo	
Presente	**Pretérito perfecto compuesto**	**Presente**	**Pretérito perfecto**
doy das da damos dáis dan	he dado has dado ha dado hemos dado habéis dado han dado	dé des dé demos deis den	haya dado hayas dado haya dado hayamos dado hayáis dado hayan dado
Pretérito imperfecto	**Pretérito pluscuamperfecto**	**Pretérito imperfecto**	**Pretérito pluscuamperfecto**
daba dabas daba dábamos dabais daban	había dado habías dado había dado habíamos dado habíais dado habían dado	diera dieras diera diéramos dierais dieran diese dieses diese diésemos dieseis diesen	hubiera dado hubieras dado hubiera dado hubiéramos dado hubierais dado hubieran dado hubiese dado hubieses dado hubiese dado hubiésemos dado hubieseis dado hubiesen dado
Pretérito perfecto simple	**Pretérito anterior**		
di diste dió dimos disteis dieron	hube dado hubiste dado hubo dado hubimos dado hubisteis dado hubieron dado		
Futuro	**Futuro perfecto**	**Futuro**	**Futuro perfecto**
daré darás dará daremos daréis darán	habré dado habrás dado habrá dado habremos dado habréis dado habrán dado	diere dieres diere diéremos diereis dieren	hubiere dado hubieres dado hubiere dado hubiéremos dado hubiereis dado hubieren dado

CONDICIONAL		IMPERATIVO
Condicional	**Condicional perfecto**	
daría darías daría daríamos daríais darían	habría dado habrías dado habría dado habríamos dado habríais dado habrían dado	da dé demos dad den

– TABLEAU 31 –
VERBE IRRÉGULIER :
DECIR (DIRE)

– **Infinitivo :** decir
– **Participio :** dicho
– **Gerundio :** diciendo

INDICATIVO		SUBJUNTIVO	
Presente	**Pretérito perfecto compuesto**	**Presente**	**Pretérito perfecto**
digo dices dice decimos decís dicen	he dicho has dicho ha dicho hemos dicho habéis dicho han dicho	diga digas diga digamos digáis digan	haya dicho hayas dicho haya dicho hayamos dicho hayáis dicho hayan dicho
Pretérito imperfecto	**Pretérito pluscuamperfecto**	**Pretérito imperfecto**	**Pretérito pluscuamperfecto**
decía decías decía decíamos decíais decían	había dicho habías dicho había dicho habíamos dicho habíais dicho habían dicho	dijera dijeras dijera dijéramos dijerais dijeran	hubiera dicho hubieras dicho hubiera dicho hubiéramos dicho hubierais dicho hubieran dicho
Pretérito perfecto simple	**Pretérito anterior**	dijese dijeses dijese dijésemos dijeseis dijesen	hubiese dicho hubieses dicho hubiese dicho hubiésemos dicho hubieseis dicho hubiesen dicho
dije dijiste dijo dijimos dijisteis dijeron	hube dicho hubiste dicho hubo dicho hubimos dicho hubisteis dicho hubieron dicho		
Futuro	**Futuro perfecto**	**Futuro**	**Futuro perfecto**
diré dirás dirá diremos diréis dirán	habré dicho habrás dicho habrá dicho habremos dicho habréis dicho habrán dicho	dijere dijeres dijere dijéremos dijereis dijeren	hubiere dicho hubieres dicho hubiere dicho hubiéremos dicho hubiereis dicho hubieren dicho

Condicional		Imperativo
Condicional	**Condicional perfecto**	
diría dirías diría diríamos diríais dirían	habría dicho habrías dicho habría dicho habríamos dicho habríais dicho habrían dicho	di diga digamos decid digan

– TABLEAU 32 –
VERBE IRRÉGULIER :
ERGUIR (DRESSER)

– **Infinitivo :** erguir
– **Participio :** erguido
– **Gerundio :** irguiendo

INDICATIVO		SUBJUNTIVO	
Presente	**Pretérito perfecto compuesto**	**Presente**	**Pretérito perfecto**
yergo yergues yergue ergimos erguís yerguen	he erguido has erguido ha erguido hemos erguido habéis erguido han erguido	yerga yergas yerga irgamos irgáis yergan	haya erguido hayas erguido haya erguido hayamos erguido hayáis erguido hayan erguido
Pretérito imperfecto	**Pretérito pluscuamperfecto**	**Pretérito imperfecto**	**Pretérito pluscuamperfecto**
erguía erguías erguía erguíamos erguíais erguían	había erguido habías erguido había erguido habíamos erguido habíais erguido habían erguido	irguiera irguieras irguiera irguiéramos irguierais irguieran irguiese irguieses irguiese irguiésemos irguieseis irguiesen	hubiera erguido hubieras erguido hubiera erguido hubiéramos erguido hubierais erguido hubieran erguido hubiese erguido hubieses erguido hubiese erguido hubiésemos erguido hubieseis erguido hubiesen erguido
Pretérito perfecto simple	**Pretérito anterior**		
erguí erguiste irguió erguimos erguisteis irguieron	hube erguido hubiste erguido hubo erguido hubimos erguido hubisteis erguido hubieron erguido		
Futuro	**Futuro perfecto**	**Futuro**	**Futuro perfecto**
erguiré erguirás erguirá erguiremos erguiréis erguirán	habré erguido habrás erguido habrá erguido habremos erguido habréis erguido habrán erguido	irguiere irguieres irguiere irguiéremos irguiereis irguieren	hubiere erguido hubieres erguido hubiere erguido hubiéremos erguido hubiereis erguido hubieren erguido

Condicional		Imperativo
Condicional	**Condicional perfecto**	
erguiría	habría erguido	yergue
erguirías	habrías erguido	yerga
erguiría	habría erguido	irgamos
erguiríamos	habríamos erguido	erguid
erguiríais	habríais erguido	yergan
erguirían	habrían erguido	

– TABLEAU 33 –
VERBE IRRÉGULIER :
ESTAR (ÊTRE)

- **Infinitivo :** estar
- **Participio :** estado
- **Gerundio :** estando

Indicativo		Subjuntivo	
Presente	**Pretérito perfecto compuesto**	**Presente**	**Pretérito perfecto**
estoy estás está estamos estáis están	he estado has estado ha estado hemos estado habéis estado han estado	esté estés esté estemos estéis estén	haya estado hayas estado haya estado hayamos estado hayáis estado hayan estado
Pretérito imperfecto	**Pretérito pluscuamperfecto**	**Pretérito imperfecto**	**Pretérito pluscuamperfecto**
estaba estabas estaba estábamos estabais estaban	había estado habías estado había estado habíamos estado habíais estado habían estado	estuviera estuvieras estuviera estuviéramos estuvierais estuvieran	hubiera estado hubieras estado hubiera estado hubiéramos estado hubierais estado hubieran estado
Pretérito perfecto simple	**Pretérito anterior**	estuviese estuvieses estuviese estuviésemos estuvieseis estuviesen	hubiese estado hubieses estado hubiese estado hubiésemos estado hubieseis estado hubiesen estado
estuve estuviste estuvo estuvimos estuvisteis estuvieron	hube estado hubiste estado hubo estado hubimos estado hubisteis estado hubieron estado		
Futuro	**Futuro perfecto**	**Futuro**	**Futuro perfecto**
estaré estarás estará estaremos estaréis estarán	habré estado habrás estado habrá estado habremos estado habréis estado habrán estado	estuviere estuvieres estuviere estuviéremos estuviereis estuvieren	hubiere estado hubieres estado hubiere estado hubiéremos estado hubiereis estado hubieren estado

Condicional		Imperativo
Condicional	**Condicional perfecto**	
estaría estarías estaría estaríamos estaríais estarían	habría estado habrías estado habría estado habríamos estado habríais estado habrían estado	está esté estemos estad estén

– TABLEAU 34 –
VERBE IRRÉGULIER :
HACER (FAIRE)

– **Infinitivo :** hacer
– **Participio :** hecho
– **Gerundio :** haciendo

INDICATIVO		SUBJUNTIVO	
Presente	**Pretérito perfecto compuesto**	**Presente**	**Pretérito perfecto**
hago haces hace hacemos hacéis hacen	he hecho has hecho ha hecho hemos hecho habéis hecho han hecho	haga hagas haga hagamos hagáis hagan	haya hecho hayas hecho haya hecho hayamos hecho hayáis hecho hayan hecho
Pretérito imperfecto	**Pretérito pluscuamperfecto**	**Pretérito imperfecto**	**Pretérito pluscuamperfecto**
hacía hacías hacía hacíamos hacíais hacían	había hecho habías hecho había hecho habíamos hecho habíais hecho habían hecho	hiciera hicieras hiciera hiciéramos hicierais hicieran	hubiera hecho hubieras hecho hubiera hecho hubiéramos hecho hubierais hecho hubieran hecho
Pretérito perfecto simple	**Pretérito anterior**	hiciese hicieses hiciese hiciésemos hicieseis hiciesen	hubiese hecho hubieses hecho hubiese hecho hubiésemos hecho hubieseis hecho hubiesen hecho
hice hiciste hizo hicimos hicisteis hicieron	hube hecho hubiste hecho hubo hecho hubimos hecho hubisteis hecho hubieron hecho		
Futuro	**Futuro perfecto**	**Futuro**	**Futuro perfecto**
haré harás hará haremos haréis harán	habré hecho habrás hecho habrá hecho habremos hecho habréis hecho habrán hecho	hiciere hicieres hiciere hiciéremos hiciereis hicieren	hubiere hecho hubieres hecho hubiere hecho hubiéremos hecho hubiereis hecho hubieren hecho

Condicional		Imperativo
Condicional	**Condicional perfecto**	
haría harías haría haríamos haríais harían	habría hecho habrías hecho habría hecho habríamos hecho habríais hecho habrían hecho	haz haga hagamos haced hagan

– TABLEAU 35 –
VERBE IRRÉGULIER :
IR (ALLER)

– **Infinitivo :** ir
– **Participio :** ido
– **Gerundio :** yendo

INDICATIVO		SUBJUNTIVO	
Presente	**Pretérito perfecto compuesto**	**Presente**	**Pretérito perfecto**
voy vas va vamos vais van	he ido has ido ha ido hemos ido habéis ido han ido	vaya vayas vaya vayamos vayáis vayan	haya ido hayas ido haya ido hayamos ido hayáis ido hayan ido
Pretérito imperfecto	**Pretérito pluscuamperfecto**	**Pretérito imperfecto**	**Pretérito pluscuamperfecto**
iba ibas iba íbamos íbais iban	había ido habías ido había ido habíamos ido habíais ido habían ido	fuera fueras fuera fuéramos fuerais fueran fuese fueses fuese fuésemos fueseis fuesen	hubiera ido hubieras ido hubiera ido hubiéramos ido hubierais ido hubieran ido hubiese ido hubieses ido hubiese ido hubiésemos ido hubieseis ido hubiesen ido
Pretérito perfecto simple	**Pretérito anterior**		
fui fuiste fue fuimos fuisteis fueron	hube ido hubiste ido hubo ido hubimos ido hubisteis ido hubieron ido		
Futuro	**Futuro perfecto**	**Futuro**	**Futuro perfecto**
iré irás irá iremos iréis irán	habré ido habrás ido habrá ido habremos ido habréis ido habrán ido	fuere fueres fuere fuéremos fuereis fueren	hubiere ido hubieres ido hubiere ido hubiéremos ido hubiereis ido hubieren ido

Condicional		Imperativo
Condicional	**Condicional perfecto**	
iría irías iría iríamos iríais irían	habría ido habrías ido habría ido habríamos ido habríais ido habrían ido	ve vaya vayamos id vayan

– TABLEAU 36 –
VERBE IRRÉGULIER :
JUGAR (JOUER)

– **Infinitivo :** jugar
– **Participio :** jugado
– **Gerundio :** jugando

INDICATIVO		SUBJUNTIVO	
Presente	**Pretérito perfecto compuesto**	**Presente**	**Pretérito perfecto**
juego juegas juega jugamos jugáis juegan	he jugado has jugado ha jugado hemos jugado habéis jugado han jugado	juegue juegues juegue juguemos juguéis jueguen	haya jugado hayas jugado haya jugado hayamos jugado hayáis jugado hayan jugado
Pretérito imperfecto	**Pretérito pluscuamperfecto**	**Pretérito imperfecto**	**Pretérito pluscuamperfecto**
jugaba jugabas jugaba jugábamos jugabais jugaban	había jugado habías jugado había jugado habíamos jugado habíais jugado habían jugado	jugara jugaras jugara jugáramos jugarais jugaran	hubiera jugado hubieras jugado hubiera jugado hubiéramos jugado hubierais jugado hubieran jugado
Pretérito perfecto simple	**Pretérito anterior**	jugase jugases jugase jugásemos jugaseis jugasen	hubiese jugado hubieses jugado hubiese jugado hubiésemos jugado hubieseis jugado hubiesen jugado
jugué jugaste jugó jugamos jugasteis jugaron	hube jugado hubiste jugado hubo jugado hubimos jugado hubisteis jugado hubieron jugado		
Futuro	**Futuro perfecto**	**Futuro**	**Futuro perfecto**
jugaré jugarás jugará jugaremos jugaréis jugarán	habré jugado habrás jugado habrá jugado habremos jugado habréis jugado habrán jugado	jugare jugares jugare jugáremos jugareis jugaren	hubiere jugado hubieres jugado hubiere jugado hubiéremos jugado hubiereis jugado hubieren jugado

CONDICIONAL		IMPERATIVO
Condicional	**Condicional perfecto**	
jugaría jugarías jugaría jugaríamos jugarías jugarían	habría jugado habrías jugado habría jugado habríamos jugado habríais jugado habrían jugado	juega juegue juguemos jugad jueguen

– TABLEAU 37 –
VERBE IRRÉGULIER :
NEGAR (NIER)

- **Infinitivo :** negar
- **Participio :** negado
- **Gerundio :** negando

Indicativo		Subjuntivo	
Presente	**Pretérito perfecto compuesto**	**Presente**	**Pretérito perfecto**
niego niegas niega negamos negáis niegan	he negado has negado ha negado hemos negado habéis negado han negado	niegue niegues niegue neguemos neguéis nieguen	haya negado hayas negado haya negado hayamos negado hayáis negado hayan negado
Pretérito imperfecto	**Pretérito pluscuamperfecto**	**Pretérito imperfecto**	**Pretérito pluscuamperfecto**
negaba negabas negaba negábamos negabais negaban	había negado habías negado había negado habíamos negado habíais negado habían negado	negara negaras negara negáramos negarais negaran	hubiera negado hubieras negado hubiera negado hubiéramos negado hubierais negado hubieran negado
Pretérito perfecto simple	**Pretérito anterior**	negase negases negase negásemos negaseis negasen	hubiese negado hubieses negado hubiese negado hubiésemos negado hubieseis negado hubiesen negado
negué negaste negó negamos negasteis negaron	hube negado hubiste negado hubo negado hubimos negado hubisteis negado hubieron negado		
Futuro	**Futuro perfecto**	**Futuro**	**Futuro perfecto**
negaré negarás negará negaremos negaréis negarán	habré negado habrás negado habrá negado habremos negado habréis negado habrán negado	negare negares negare negáremos negareis negaren	hubiere negado hubieres negado hubiere negado hubiéremos negado hubiereis negado hubieren negado

Condicional		Imperativo
Condicional	**Condicional perfecto**	
negaría negarías negaría negaríamos negarías negarían	habría negado habrías negado habría negado habríamos negado habríais negado habrían negado	niega niegue neguemos negad nieguen

– TABLEAU 38 –
VERBE IRRÉGULIER : *OÍR* (ENTENDRE)

– **Infinitivo :** oír
– **Participio :** oído
– **Gerundio :** oyendo

INDICATIVO		SUBJUNTIVO	
Presente	**Pretérito perfecto compuesto**	**Presente**	**Pretérito perfecto**
oigo oyes oye oímos oís oyen	he oído has oído ha oído hemos oído habéis oído han oído	oiga oigas oiga oigamos oigáis oigan	haya oído hayas oído haya oído hayamos oído hayáis oído hayan oído
Pretérito imperfecto	**Pretérito pluscuamperfecto**	**Pretérito imperfecto**	**Pretérito pluscuamperfecto**
oía oías oía oíamos oíais oían	había oído habías oído había oído habíamos oído habíais oído habían oído	oyera oyeras oyera oyéramos oyerais oyeran oyese oyeses oyese oyésemos oyeseis oyesen	hubiera oído hubieras oído hubiera oído hubiéramos oído hubierais oído hubieran oído hubiese oído hubieses oído hubiese oído hubiésemos oído hubieseis oído hubiesen oído
Pretérito perfecto simple	**Pretérito anterior**		
oí oíste oyó oímos oísteis oyeron	hube oído hubiste oído hubo oído hubimos oído hubisteis oído hubieron oído		
Futuro	**Futuro perfecto**	**Futuro**	**Futuro perfecto**
oiré oirás oirá oiremos oiréis oirán	habré oído habrás oído habrá oído habremos oído habréis oído habrán oído	oyere oyeres oyere oyéremos oyereis oyeren	hubiere oído hubieres oído hubiere oído hubiéremos oído hubiereis oído hubieren oído

CONDICIONAL		IMPERATIVO
Condicional	**Condicional perfecto**	
oiría oirías oiría oiríamos oiríais oirían	habría oído habrías oído habría oído habríamos oído habríais oído habrían oído	oye oiga oigamos oíd oigan

– TABLEAU 39 –
VERBE IRRÉGULIER :
OLER (SENTIR)

- **Infinitivo :** oler
- **Participio :** olido
- **Gerundio :** oliendo

INDICATIVO		SUBJUNTIVO	
Presente	**Pretérito perfecto compuesto**	**Presente**	**Pretérito perfecto**
huelo hueles huele olemos oléis huelen	he olido has olido ha olido hemos olido habéis olido han olido	huela huelas huela olamos oláis huelan	haya olido hayas olido haya olido hayamos olido hayáis olido hayan olido
Pretérito imperfecto	**Pretérito pluscuamperfecto**	**Pretérito imperfecto**	**Pretérito pluscuamperfecto**
olía olías olía olíamos olíais olían	había olido habías olido había olido habíamos olido habíais olido habían olido	oliera olieras oliera oliéramos olierais olieran	hubiera olido hubieras olido hubiera olido hubiéramos olido hubierais olido hubieran olido
Pretérito perfecto simple	**Pretérito anterior**	oliese olieses oliese oliésemos olieseis oliesen	hubiese olido hubieses olido hubiese olido hubiésemos olido hubieseis olido hubiesen olido
olí olíste olió olimos olisteis olieron	hube olido hubiste olido hubo olido hubimos olido hubisteis olido hubieron olido		
Futuro	**Futuro perfecto**	**Futuro**	**Futuro perfecto**
oleré olerás olerá oleremos oleréis olerán	habré olido habrás olido habrá olido habremos olido habréis olido habrán olido	oliere olieres oliere oliéremos oliereis olieren	hubiere olido hubieres olido hubiere olido hubiéremos olido hubiereis olido hubieren olido

Condicional		Imperativo
Condicional	Condicional perfecto	
olería olerías olería oleríamos oleríais olerían	habría olido habrías olido habría olido habríamos olido habríais olido habrían olido	huele huela olamos oled huelan

– TABLEAU 40 –
VERBE IRRÉGULIER :
PODER (POUVOIR)

– **Infinitivo :** poder
– **Participio :** podido
– **Gerundio :** pudiendo

INDICATIVO		SUBJUNTIVO	
Presente	**Pretérito perfecto compuesto**	**Presente**	**Pretérito perfecto**
puedo puedes puede podemos podéis pueden	he podido has podido ha podido hemos podido habéis podido han podido	pueda puedas pueda podamos podáis puedan	haya podido hayas podido haya podido hayamos podido hayáis podido hayan podido
Pretérito imperfecto	**Pretérito pluscuamperfecto**	**Pretérito imperfecto**	**Pretérito pluscuamperfecto**
podía podías podía podíamos podíais podían	había podido habías podido había podido habíamos podido habíais podido habían podido	pudiera pudieras pudiera pudiéramos pudierais pudieran pudiese pudieses pudiese pudiésemos pudieseis pudiesen	hubiera podido hubieras podido hubiera podido hubiéramos podido hubierais podido hubieran podido hubiese podido hubieses podido hubiese podido hubiésemos podido hubieseis podido hubiesen podido
Pretérito perfecto simple	**Pretérito anterior**		
pude pudiste pudo pudimos pudísteis pudieron	hube podido hubiste podido hubo podido hubimos podido hubisteis podido hubieron podido		
Futuro	**Futuro perfecto**	**Futuro**	**Futuro perfecto**
podré podrás podrá podremos podréis podrán	habré podido habrás podido habrá podido habremos podido habréis podido habrán podido	pudiere pudieres pudiere pudiéremos pudiereis pudieren	hubiere podido hubieres podido hubiere podido hubiéremos podido hubiereis podido hubieren podido

CONDICIONAL		IMPERATIVO
Condicional	**Condicional perfecto**	
podría podrías podría podríamos podríais podrían	habría podido habrías podido habría podido habríamos podido habríais podido habrían podido	puede pueda podamos poded puedan

– TABLEAU 41 –
VERBE IRRÉGULIER :
PONER (METTRE)

– **Infinitivo :** poner
– **Participio :** puesto
– **Gerundio :** poniendo

INDICATIVO		SUBJUNTIVO	
Presente	**Pretérito perfecto compuesto**	**Presente**	**Pretérito perfecto**
pongo pones pone ponemos ponéis ponen	he puesto has puesto ha puesto hemos puesto habéis puesto han puesto	ponga pongas ponga pongamos pongáis pongan	haya puesto hayas puesto haya puesto hayamos puesto hayáis puesto hayan puesto
Pretérito imperfecto	**Pretérito pluscuamperfecto**	**Pretérito imperfecto**	**Pretérito pluscuamperfecto**
ponía ponías ponía poníamos poníais ponían	había puesto habías puesto había puesto habíamos puesto habíais puesto habían puesto	pusiera pusieras pusiera pusiéramos pusierais pusieran	hubiera puesto hubieras puesto hubiera puesto hubiéramos puesto hubierais puesto hubieran puesto
Pretérito perfecto simple	**Pretérito anterior**	pusiese pusieses pusiese pusiésemos pusieseis pusiesen	hubiese puesto hubieses puesto hubiese puesto hubiésemos puesto hubieseis puesto hubiesen puesto
puse pusiste puso pusimos pusisteis pusieron	hube puesto hubiste puesto hubo puesto hubimos puesto hubisteis puesto hubieron puesto		
Futuro	**Futuro perfecto**	**Futuro**	**Futuro perfecto**
pondré pondrás pondrá pondremos pondréis pondrán	habré puesto habrás puesto habrá puesto habremos puesto habréis puesto habrán puesto	pusiere pusieres pusiere pusiéremos pusiereis pusieren	hubiere puesto hubieres puesto hubiere puesto hubiéremos puesto hubiereis puesto hubieren puesto

Condicional		Imperativo
Condicional	Condicional perfecto	
pondría pondrías pondría pondríamos pondríais pondrían	habría puesto habrías puesto habría puesto habríamos puesto habríais puesto habrían puesto	pon ponga pongamos poned pongan

– TABLEAU 42 –
VERBE IRRÉGULIER : *QUERER* (VOULOIR)

– **Infinitivo :** querer
– **Participio :** querido
– **Gerundio :** queriendo

INDICATIVO		SUBJUNTIVO	
Presente	**Pretérito perfecto compuesto**	**Presente**	**Pretérito perfecto**
quiero quieres quiere queremos queréis quieren	he querido has querido ha querido hemos querido habéis querido han querido	quiera quieras quiera queramos queráis quieran	haya querido hayas querido haya querido hayamos querido hayáis querido hayan querido
Pretérito imperfecto	**Pretérito pluscuamperfecto**	**Pretérito imperfecto**	**Pretérito pluscuamperfecto**
quería querías quería queríamos queríais querían	había querido habías querido había querido habíamos querido habíais querido habían querido	quisiera quisieras quisiera quisiéramos quisierais quisieran	hubiera querido hubieras querido hubiera querido hubiéramos querido hubierais querido hubieran querido
Pretérito perfecto simple	**Pretérito anterior**	quisiese quisieses quisiese quisiésemos quisieseis quisiesen	hubiese querido hubieses querido hubiese querido hubiésemos querido hubieseis querido hubiesen querido
quise quisiste quiso quisimos quisísteis quisieron	hube querido hubiste querido hubo querido hubimos querido hubisteis querido hubieron querido		
Futuro	**Futuro perfecto**	**Futuro**	**Futuro perfecto**
querré querrás querrá querremos querréis querrán	habré querido habrás querido habrá querido habremos querido habréis querido habrán querido	quisiere quisieres quisiere quisiéremos quisiereis quisieren	hubiere querido hubieres querido hubiere querido hubiéremos querido hubiereis querido hubieren querido

Condicional		Imperativo
Condicional	**Condicional perfecto**	
querría querrías querría querríamos querríais querrían	habría querido habrías querido habría querido habríamos querido habríais querido habrían querido	quiere quiera queramos quered quieran

– TABLEAU 43 –
VERBE IRRÉGULIER :
SABER (SAVOIR)

– **Infinitivo :** saber
– **Participio :** sabido
– **Gerundio :** sabiendo

Indicativo		Subjuntivo	
Presente	**Pretérito perfecto compuesto**	**Presente**	**Pretérito perfecto**
sé sabes sabe sabemos sabéis saben	he sabido has sabido ha sabido hemos sabido habéis sabido han sabido	sepa sepas sepa sepamos sepáis sepan	haya sabido hayas sabido haya sabido hayamos sabido hayáis sabido hayan sabido
Pretérito imperfecto	**Pretérito pluscuamperfecto**	**Pretérito imperfecto**	**Pretérito pluscuamperfecto**
sabía sabías sabía sabíamos sabíais sabían	había sabido habías sabido había sabido habíamos sabido habíais sabido habían sabido	supiera supieras supiera supiéramos supierais supieran supiese supieses supiese supiésemos supieseis supiesen	hubiera sabido hubieras sabido hubiera sabido hubiéramos sabido hubierais sabido hubieran sabido hubiese sabido hubieses sabido hubiese sabido hubiésemos sabido hubieseis sabido hubiesen sabido
Pretérito perfecto simple	**Pretérito anterior**		
supe supiste supo supimos supisteis supieron	hube sabido hubiste sabido hubo sabido hubimos sabido hubisteis sabido hubieron sabido		
Futuro	**Futuro perfecto**	**Futuro**	**Futuro perfecto**
sabré sabrás sabrá sabremos sabréis sabrán	habré sabido habrás sabido habrá sabido habremos sabido habréis sabido habrán sabido	supiere supieres supiere supiéremos supiereis supieren	hubiere sabido hubieres sabido hubiere sabido hubiéremos sabido hubiereis sabido hubieren sabido

Condicional		Imperativo
Condicional	**Condicional perfecto**	
sabría sabrías sabría sabríamos sabríais sabrían	habría sabido habrías sabido habría sabido habríamos sabido habríais sabido habrían sabido	sabe sepa sepamos sabed sepan

– TABLEAU 44 –
VERBE IRRÉGULIER :
SALIR (SORTIR)

– **Infinitivo :** salir
– **Participio :** salido
– **Gerundio :** saliendo

INDICATIVO		SUBJUNTIVO	
Presente	**Pretérito perfecto compuesto**	**Presente**	**Pretérito perfecto**
salgo sales sale salimos salís salen	he salido has salido ha salido hemos salido habéis salido han salido	salga salgas salga salgamos salgáis salgan	haya salido hayas salido haya salido hayamos salido hayáis salido hayan salido
Pretérito imperfecto	**Pretérito pluscuamperfecto**	**Pretérito imperfecto**	**Pretérito pluscuamperfecto**
salía salías salía salíamos salíais salían	había salido habías salido había salido habíamos salido habíais salido habían salido	saliera salieras saliera saliéramos salierais salieran	hubiera salido hubieras salido hubiera salido hubiéramos salido hubierais salido hubieran salido
Pretérito perfecto simple	**Pretérito anterior**	saliese salieses saliese saliésemos salieseis saliesen	hubiese salido hubieses salido hubiese salido hubiésemos salido hubieseis salido hubiesen salido
salí saliste salió salimos salisteis salieron	hube salido hubiste salido hubo salido hubimos salido hubisteis salido hubieron salido		
Futuro	**Futuro perfecto**	**Futuro**	**Futuro perfecto**
saldré saldrás saldrá saldremos saldréis saldrán	habré salido habrás salido habrá salido habremos salido habréis salido habrán salido	saliere salieres saliere saliéremos saliereis salieren	hubiere salido hubieres salido hubiere salido hubiéremos salido hubiereis salido hubieren salido

Condicional		Imperativo
Condicional	**Condicional perfecto**	
saldría saldrías saldría saldríamos saldríais saldrían	habría salido habrías salido habría salido habríamos salido habríais salido habrían salido	sal salga salgamos salid salgan

– TABLEAU 45 –
VERBE IRREGULIER :
SER (ÊTRE)

– **Infinitivo :** ser
– **Participio :** sido
– **Gerundio :** siendo

INDICATIVO		SUBJUNTIVO	
Presente	**Pretérito perfecto compuesto**	**Presente**	**Pretérito perfecto**
soy eres es somos sois son	he sido has sido ha sido hemos sido habéis sido han sido	sea seas sea seamos seáis sean	haya sido hayas sido haya sido hayamos sido hayáis sido hayan sido
Pretérito imperfecto	**Pretérito pluscuamperfecto**	**Pretérito imperfecto**	**Pretérito pluscuamperfecto**
era eras era éramos érais eran	había sido habías sido había sido habíamos sido habíais sido habían sido	fuera fueras fuera fuéramos fuerais fueran fuese fueses fuese fuésemos fueseis fuesen	hubiera sido hubieras sido hubiera sido hubiéramos sido hubierais sido hubieran sido hubiese sido hubieses sido hubiese sido hubiésemos sido hubieseis sido hubiesen sido
Pretérito perfecto simple	**Pretérito anterior**		
fui fuiste fue fuimos fuisteis fueron	hube sido hubiste sido hubo sido hubimos sido hubisteis sido hubieron sido		
Futuro	**Futuro perfecto**	**Futuro**	**Futuro perfecto**
seré serás será seremos seréis serán	habré sido habrás sido habrá sido habremos sido habréis sido habrán sido	fuere fueres fuere fuéremos fuereis fueren	hubiere sido hubieres sido hubiere sido hubiéremos sido hubiereis sido hubieren sido

Condicional		Imperativo
Condicional	**Condicional perfecto**	
sería	habría sido	
serías	habrías sido	sé
sería	habría sido	sea
seríamos	habríamos sido	seamos
seríais	habríais sido	sed
serían	habrían sido	sean

– TABLEAU 46 –
VERBE *TENER* (AVOIR, POSSÉDER)

– **Infinitivo :** tener
– **Participio :** tenido
– **Gerundio :** teniendo

Indicativo		Subjuntivo	
Presente	**Pretérito perfecto compuesto**	**Presente**	**Pretérito perfecto**
tengo tienes tiene tenemos tenéis tienen	he tenido has tenido ha tenido hemos tenido habéis tenido han tenido	tenga tengas tenga tengamos tengáis tengan	haya tenido hayas tenido haya tenido hayamos tenido hayáis tenido hayan tenido
Pretérito imperfecto	**Pretérito pluscuamperfecto**	**Pretérito imperfecto**	**Pretérito pluscuamperfecto**
tenía tenías tenía teníamos teníais tenían	había tenido habías tenido había tenido habíamos tenido habíais tenido habían tenido	tuviera tuvieras tuviera tuviéramos tuvierais tuvieran	hubiera tenido hubieras tenido hubiera tenido hubiéramos tenido hubierais tenido hubieran tenido
Pretérito perfecto simple	**Pretérito anterior**		
tuve tuviste tuvo tuvimos tuvisteis tuvieron	hube tenido hubiste tenido hubo tenido hubimos tenido hubisteis tenido hubieron tenido	tuviese tuvieses tuviese tuviésemos tuvieseis tuviesen	hubiese tenido hubieses tenido hubiese tenido hubiésemos tenido hubieseis tenido hubiesen tenido
Futuro	**Futuro perfecto**	**Futuro**	**Futuro perfecto**
tendré tendrás tendrá tendremos tendréis tendrán	habré tenido habrás tenido habrá tenido habremos tenido habréis tenido habrán tenido	tuviere tuvieres tuviere tuviéremos tuviereis tuvieren	hubiere tenido hubieres tenido hubiere tenido hubiéremos tenido hubiereis tenido hubieren tenido

Condicional		Imperativo
Condicional	**Condicional perfecto**	
tendría	habría tenido	ten
tendrías	habrías tenido	tenga
tendría	habría tenido	tengamos
tendríamos	habríamos tenido	tened
tendríais	habríais tenido	tengan
tendrían	habrían tenido	

– TABLEAU 47 –
VERBE IRRÉGULIER :
TORCER (TORDRE)

- **Infinitivo :** torcer
- **Participio :** torcido
- **Gerundio :** torciendo

Indicativo		Subjuntivo	
Presente	**Pretérito perfecto compuesto**	**Presente**	**Pretérito perfecto**
tuerzo tuerces tuerce torcemos torcéis tuercen	he torcido has torcido ha torcido hemos torcido habéis torcido han torcido	tuerza tuerzas tuerza torzamos torzáis tuerzan	haya torcido hayas torcido haya torcido hayamos torcido hayáis torcido hayan torcido
Pretérito imperfecto	**Pretérito pluscuamperfecto**	**Pretérito imperfecto**	**Pretérito pluscuamperfecto**
torcía torcías torcía torcíamos torcíais torcían	había torcido habías torcido había torcido habíamos torcido habíais torcido habían torcido	torciera torcieras torciera torciéramos torcierais torcieran	hubiera torcido hubieras torcido hubiera torcido hubiéramos torcido hubierais torcido hubieran torcido
Pretérito perfecto simple	**Pretérito anterior**		
torcí torciste torció torcimos torcisteis torcieron	hube torcido hubiste torcido hubo torcido hubimos torcido hubisteis torcido hubieron torcido	torciese torcieses torciese torciésemos torcieseis torciesen	hubiese torcido hubieses torcido hubiese torcido hubiésemos torcido hubieseis torcido hubiesen torcido
Futuro	**Futuro perfecto**	**Futuro**	**Futuro perfecto**
torceré torcerás torcerá torceremos torceréis torcerán	habré torcido habrás torcido habrá torcido habremos torcido habréis torcido habrán torcido	torciere torcieres torciere torciéremos torciereis torcieren	hubiere torcido hubieres torcido hubiere torcido hubiéremos torcido hubiereis torcido hubieren torcido

Condicional		Imperativo
Condicional	**Condicional perfecto**	
torcería torcerías torcería torceríamos torceríais torcerían	habría torcido habrías torcido habría torcido habríamos torcido habríais torcido habrían torcido	tuerce tuerza torzamos torced tuerzan

– TABLEAU 48 –
VERBE IRRÉGULIER :
TRAER (APPORTER)

- **Infinitivo :** traer
- **Participio :** traído
- **Gerundio :** trayendo

Indicativo		Subjuntivo	
Presente	**Pretérito perfecto compuesto**	**Presente**	**Pretérito perfecto**
traigo traes trae traemos traéis traen	he traído has traído ha traído hemos traído habéis traído han traído	traiga traigas traiga traigamos traigáis traigan	haya traído hayas traído haya traído hayamos traído hayáis traído hayan traído
Pretérito imperfecto	**Pretérito pluscuamperfecto**	**Pretérito imperfecto**	**Pretérito pluscuamperfecto**
traía traías traía traíamos traíais traían	había traído habías traído había traído habíamos traído habíais traído habían traído	trajera trajeras trajera trajéramos trajerais trajeran	hubiera traído hubieras traído hubiera traído hubiéramos traído hubierais traído hubieran traído
Pretérito perfecto simple	**Pretérito anterior**	trajese trajeses trajese trajésemos trajeseis trajesen	hubiese traído hubieses traído hubiese traído hubiésemos traído hubieseis traído hubiesen traído
traje trajiste trajo trajimos trajisteis trajeron	hube traído hubiste traído hubo traído hubimos traído hubisteis traído hubieron traído		
Futuro	**Futuro perfecto**	**Futuro**	**Futuro perfecto**
traeré traerás traerá traeremos traeréis traerán	habré traído habrás traído habrá traído habremos traído habréis traído habrán traído	trajere trajeres trajere trajéremos trajereis trajeren	hubiere traído hubieres traído hubiere traído hubiéremos traído hubiereis traído hubieren traído

Condicional		Imperativo
Condicional	**Condicional perfecto**	
traería	habría traído	trae
traerías	habrías traído	traiga
traería	habría traído	traigamos
traeríamos	habríamos traído	traed
traeríais	habríais traído	traigan
traerían	habrían traído	

– TABLEAU 49 –
VERBE IRRÉGULIER :
VALER (VALOIR)

– **Infinitivo :** valer
– **Participio :** valido
– **Gerundio :** valiendo

Indicativo		Subjuntivo	
Presente	**Pretérito perfecto compuesto**	**Presente**	**Pretérito perfecto**
valgo vales vale valemos valéis valen	he valido has valido ha valido hemos valido habéis valido han valido	valga valgas valga valgamos valgáis valgan	haya valido hayas valido haya valido hayamos valido hayáis valido hayan valido
Pretérito imperfecto	**Pretérito pluscuamperfecto**	**Pretérito imperfecto**	**Pretérito pluscuamperfecto**
valía valías valía valíamos valíais valían	había valido habías valido había valido habíamos valido habíais valido habían valido	valiera valieras valiera valiéramos valierais valieran valiese valieses valiese valiésemos valieseis valiesen	hubiera valido hubieras valido hubiera valido hubiéramos valido hubierais valido hubieran valido hubiese valido hubieses valido hubiese valido hubiésemos valido hubieseis valido hubiesen valido
Pretérito perfecto simple	**Pretérito anterior**		
valí valiste valió valimos valisteis valieron	hube valido hubiste valido hubo valido hubimos valido hubisteis valido hubieron valido		
Futuro	**Futuro perfecto**	**Futuro**	**Futuro perfecto**
valdré valdrás valdrá valdremos valdréis valdrán	habré valido habrás valido habrá valido habremos valido habréis valido habrán valido	valiere valieres valiere valiéremos valiereis valieren	hubiere valido hubieres valido hubiere valido hubiéremos valido hubiereis valido hubieren valido

Condicional		Imperativo
Condicional	**Condicional perfecto**	
valdría valdrías valdría valdríamos valdríais valdrían	habría valido habrías valido habría valido habríamos valido habríais valido habrían valido	vale valga valgamos valed valgan

– TABLEAU 50 –
VERBE IRRÉGULIER :
VENIR (VENIR)

- **Infinitivo :** venir
- **Participio :** venido
- **Gerundio :** viniendo

INDICATIVO		SUBJUNTIVO	
Presente	**Pretérito perfecto compuesto**	**Presente**	**Pretérito perfecto**
vengo vienes viene venimos venís vienen	he venido has venido ha venido hemos venido habéis venido han venido	venga vengas venga vengamos vengáis vengan	haya venido hayas venido haya venido hayamos venido hayáis venido hayan venido
Pretérito imperfecto	**Pretérito pluscuamperfecto**	**Pretérito imperfecto**	**Pretérito pluscuamperfecto**
venía venías venía veníamos veníais venían	había venido habías venido había venido habíamos venido habíais venido habían venido	viniera vinieras viniera viniéramos vinierais vinieran viniese vinieses viniese viniésemos vinieseis viniesen	hubiera venido hubieras venido hubiera venido hubiéramos venido hubierais venido hubieran venido hubiese venido hubieses venido hubiese venido hubiésemos venido hubieseis venido hubiesen venido
Pretérito perfecto simple	**Pretérito anterior**		
vine viniste vino vinimos vinisteis vinieron	hube venido hubiste venido hubo venido hubimos venido hubisteis venido hubieron venido		
Futuro	**Futuro perfecto**	**Futuro**	**Futuro perfecto**
vendré vendrás vendrá vendremos vendréis vendrán	habré venido habrás venido habrá venido habremos venido habréis venido habrán venido	viniere vinieres viniere viniéremos viniereis vinieren	hubiere venido hubieres venido hubiere venido hubiéremos venido hubiereis venido hubieren venido

Condicional		Imperativo
Condicional	**Condicional perfecto**	
vendría vendrías vendría vendríamos vendríais vendrían	habría venido habrías venido habría venido habríamos venido habríais venido habrían venido	ven venga vengamos venid vengan

– TABLEAU 51 –
VERBE IRRÉGULIER :
VER (VOIR)

– **Infinitivo :** ver
– **Participio :** visto
– **Gerundio :** viendo

INDICATIVO		SUBJUNTIVO	
Presente	**Pretérito perfecto compuesto**	**Presente**	**Pretérito perfecto**
veo ves ve vemos véis ven	he visto has visto ha visto hemos visto habéis visto han visto	vea veas vea veamos veáis vean	haya visto hayas visto haya visto hayamos visto hayáis visto hayan visto
Pretérito imperfecto	**Pretérito pluscuamperfecto**	**Pretérito imperfecto**	**Pretérito pluscuamperfecto**
veía veías veía veíamos veíais veían	había visto habías visto había visto habíamos visto habíais visto habían visto	viera vieras viera viéramos vierais vieran viese vieses viese viésemos vieseis viesen	hubiera visto hubieras visto hubiera visto hubiéramos visto hubierais visto hubieran visto hubiese visto hubieses visto hubiese visto hubiésemos visto hubieseis visto hubiesen visto
Pretérito perfecto simple	**Pretérito anterior**		
vi viste vió vimos visteis vieron	hube visto hubiste visto hubo visto hubimos visto hubisteis visto hubieron visto		
Futuro	**Futuro perfecto**	**Futuro**	**Futuro perfecto**
veré verás verá veremos veréis verán	habré visto habrás visto habrá visto habremos visto habréis visto habrán visto	viere vieres viere viéremos viereis vieren	hubiere visto hubieres visto hubiere visto hubiéremos visto hubiereis visto hubieren visto

Condicional		Imperativo
Condicional	**Condicional perfecto**	
vería	habría visto	ve
verías	habrías visto	vea
vería	habría visto	veamos
veríamos	habríamos visto	ved
veríais	habríais visto	vean
verían	habrían visto	

– TABLEAU 52 –
VERBE IRRÉGULIER :
YACER (GÉSIR)

- **Infinitivo :** yacer
- **Participio :** yacido
- **Gerundio :** yaciendo

Indicativo		Subjuntivo	
Presente	**Pretérito perfecto compuesto**	**Presente**	**Pretérito perfecto**
yazgo yaces yace yacemos yacéis yacen	he yacido has yacido ha yacido hemos yacido habéis yacido han yacido	yazga yazgas yazga yazgamos yazgáis yazgan	haya yacido hayas yacido haya yacido hayamos yacido hayáis yacido hayan yacido
Pretérito imperfecto	**Pretérito pluscuamperfecto**	**Pretérito imperfecto**	**Pretérito pluscuamperfecto**
yacía yacías yacía yacíamos yacíais yacían	había yacido habías yacido había yacido habíamos yacido habíais yacido habían yacido	yaciera yacieras yaciera yaciéramos yacierais yacieran yaciese yacieses yaciese yaciésemos yacieseis yaciesen	hubiera yacido hubieras yacido hubiera yacido hubiéramos yacido hubierais yacido hubieran yacido hubiese yacido hubieses yacido hubiese yacido hubiésemos yacido hubieseis yacido hubiesen yacido
Pretérito perfecto simple	**Pretérito anterior**		
yací yaciste yació yacimos yacisteis yacieron	hube yacido hubiste yacido hubo yacido hubimos yacido hubisteis yacido hubieron yacido		
Futuro	**Futuro perfecto**	**Futuro**	**Futuro perfecto**
yaceré yacerás yacerá yaceremos yaceréis yacerán	habré yacido habrás yacido habrá yacido habremos yacido habréis yacido habrán yacido	yaciere yacieres yaciere yaciéremos yaciereis yacieren	hubiere yacido hubieres yacido hubiere yacido hubiéremos yacido hubiereis yacido hubieren yacido

CONDICIONAL		IMPERATIVO
Condicional	**Condicional perfecto**	
yacería yacerías yacería yaceríamos yaceríais yacerían	habría yacido habrías yacido habría yacido habríamos yacido habríais yacido habrían yacido	yace yazga yazgamos yaced yazgan

IV. LISTE DE VERBES IRRÉGULIERS

Les chiffres font référence aux tableaux de conjugaison précédents. Dans le cas où l'on renvoie à deux tableaux cela veut dire que le verbe en question combine les deux types d'irrégularités. Dans certains cas, figureront aussi de petites notes explicatives.

A

Abanicar : 17.
Abarcar : 17.
Abastecer : 13.
Abdicar : 17.
Abducir : 15.
Aborrecer : 13.
Abrazar : 19.
Abrigar :18.
Abrir : 2, *participe : « abierto »*.
Abnegar : 37.
Abrogar : 18.
Abroncar : 17.
Absolver : 9.
Abstener : 46.
Abstraer : 48.
Academizar : 19.
Acaecer : 13.
Acentuar : 23.
Acercar : 17.
Acertar : 6.
Acidificar : 17.
Aclarecer : 13.
Acoger : 21.
Acontecer : 13.
Acordar : 7.
Acostar :7.
Acrecentar : 6.
Actualizar : 19.
Actuar : 23.
Acurrucarse : 4 et 17.
Adelgazar : 19.
Aderezar : 19.
Adestrar : 6.
Adherir : 11.
Adjudicar : 17.
Adolecer : 13.
Adormecer : 13.
Adquirir : 8.
Aducir : 15.
Advenir : 50.
Advertir : 11.

D

E

Ennegrecer : 13.
Ennoblecer : 13.
Enorgullecer : 13.
Enraizar : 19.
Enrarecer : 13.
Enrigidecer : 13.
Enriquecer : 13.
Enrojecer : 13.
Enrudecer : 13.
Ensangrentar : 6.
Ensolver : 9.
Ensombrecer : 13.
Ensoñar : 7.
Ensordecer : 13.
Entender : 8.
Entenebrecer : 13.
Enternecer : 13.
Enterrar : 6.
Entorpecer : 13.
Entrecerrar : 6.
Entrechocar : 17.
Entrecoger : 2 et 21.
Entrecriarse : 4 et 22.
Entrecruzar : 19.
Entredecir : 31.
Entregar : 18.
Entrelazar : 19.
Entreoír : 38.
Entrever : 51.
Entristecer : 13.
Entroncar : 17.
Entronizar : 19.
Envanecerse : 4 et 13.
Envejecer : 13.
Enverdecer : 13.
Enviar : 22.
Envilecer : 13.
Envolver : 9.
Enzurdecer : 13.
Epilogar : 18.
Equivaler : 49.
Equivocar : 17.
Ergotizar : 19.
Erguir : 32.
Erigir : 21.
Erradicar : 17.
Errar : 6, *le « i » de la diphtongue devient « y » en début de mot (ex : yo yerro, tú yerras).*
Esbozar : 19.
Escalofriar : 22.
Escandalizar ; 19.
Escaramuzar : 19.
Escarificar : 17.
Escarmentar : 6.
Escenificar : 17.
Esclarecer : 13.
Escoger : 2 et 21.
Escolarizar : 19.
Esforzar : 7 + 19.
Españolizar : 19.
Especializar : 19.
Especificar : 17.
Esperanzar : 19.
Espiar : 22.
Espiritualizar : 19.
Espolvorizar : 19.
Espulgar : 18.
Esquematizar : 19.
Esquiar : 22.
Estabilizar : 19.
Establecer : 13.
Estancar : 17.
Estandardizar : 19.
Estar : 33.
Estatuar : 23.
Estenografiar : 22.
Esterilizar : 19.
Estigmatizar : 19.
Estilizar : 19.
Estremecer : 13.
Estreñir : *voir « Ceñir ».*
Eternizar : 19.

F

G

H

I

N

O

P

Q

R

S

T

U